霊の礎

出口王仁三郎著

天　『日神 月神坐』　界

中有界は一名精霊界といふ　現界今日の状態は殆んど中有界の移写の如し

天界には天国　霊国の別あり　地獄には根の国　底の国の別あり

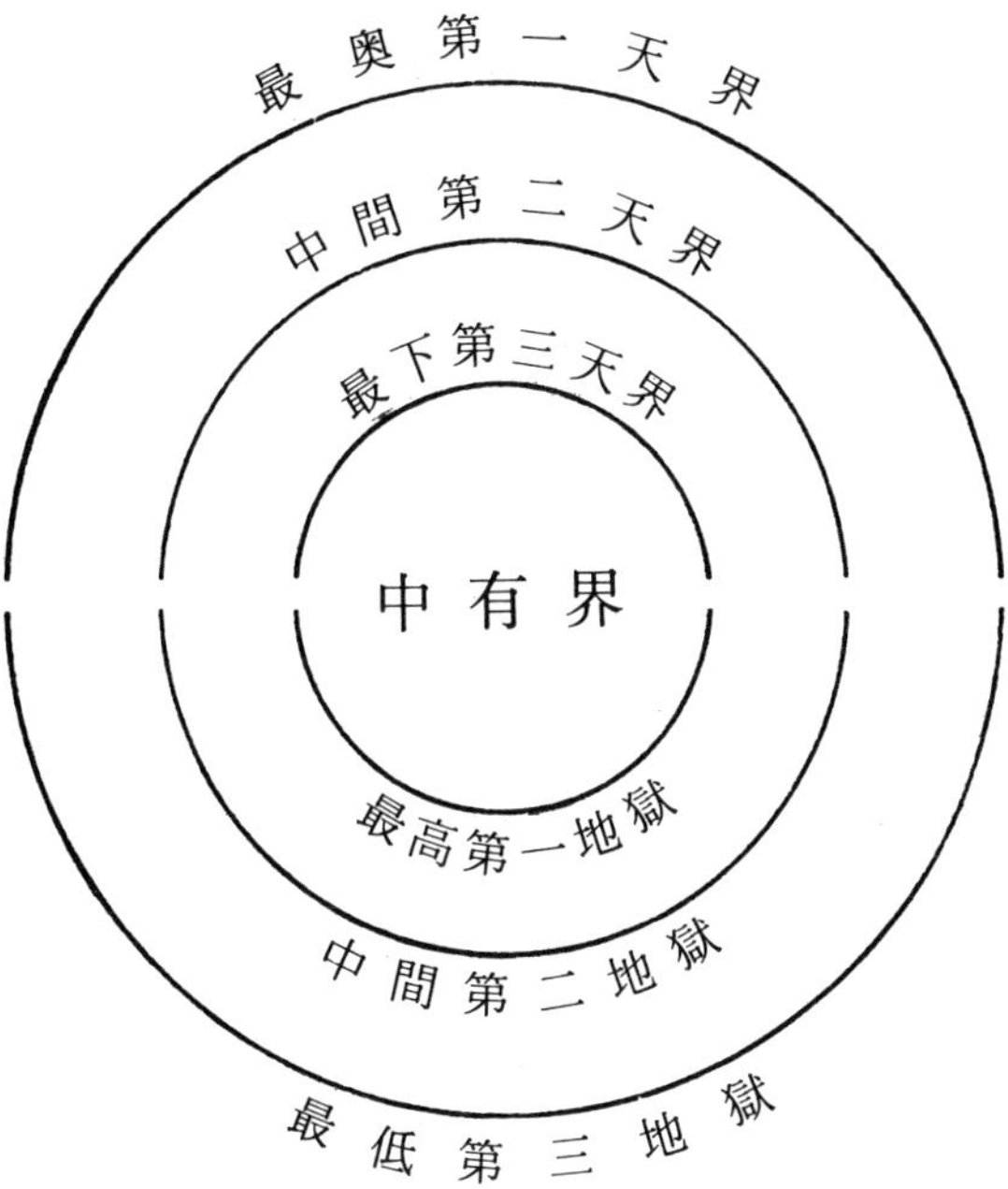

地　『魔王とサタン在』　獄

天界高天原の諸団体

大小不同にして無数なり

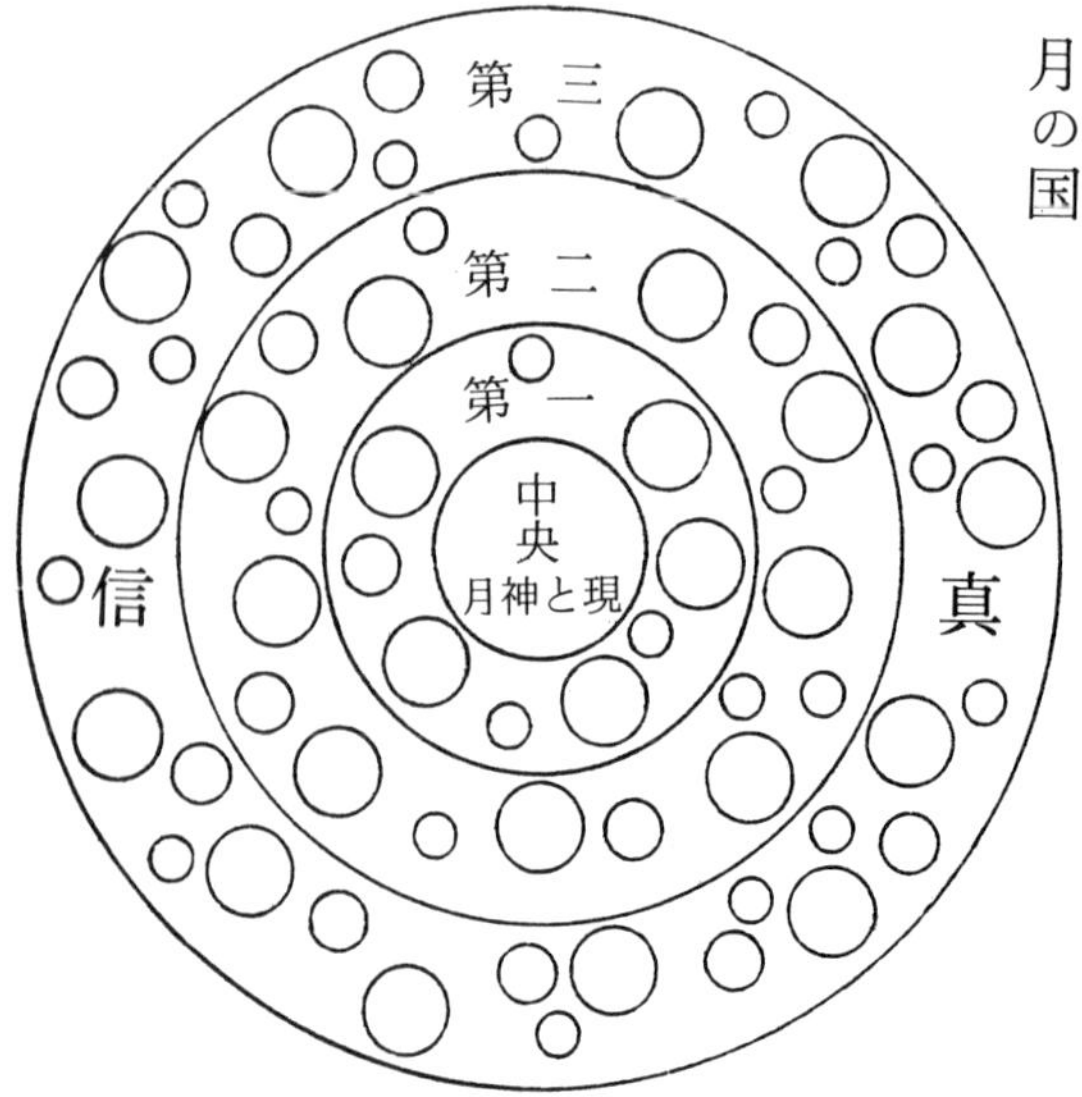

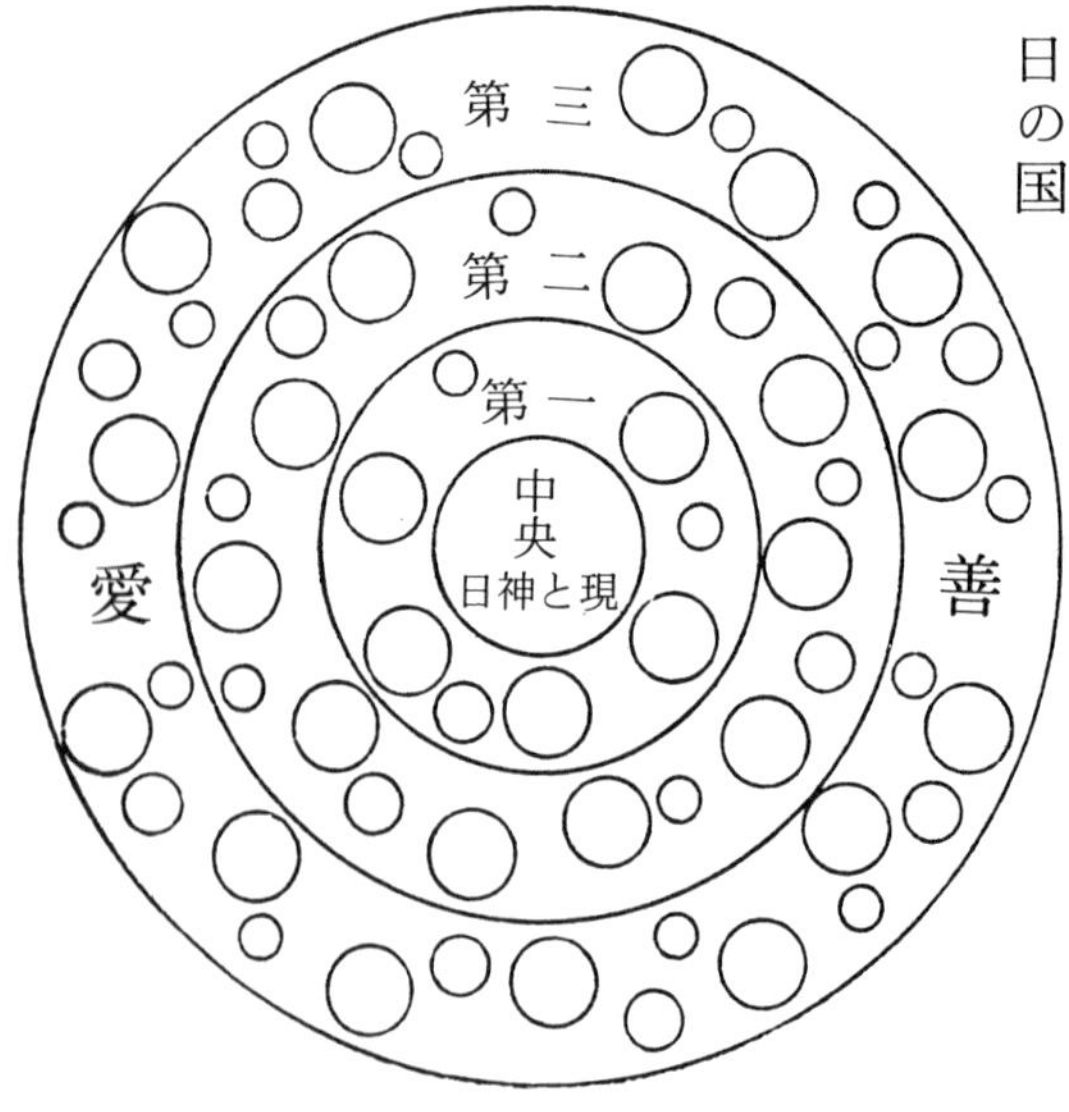

虚偽と悪慾との地獄界

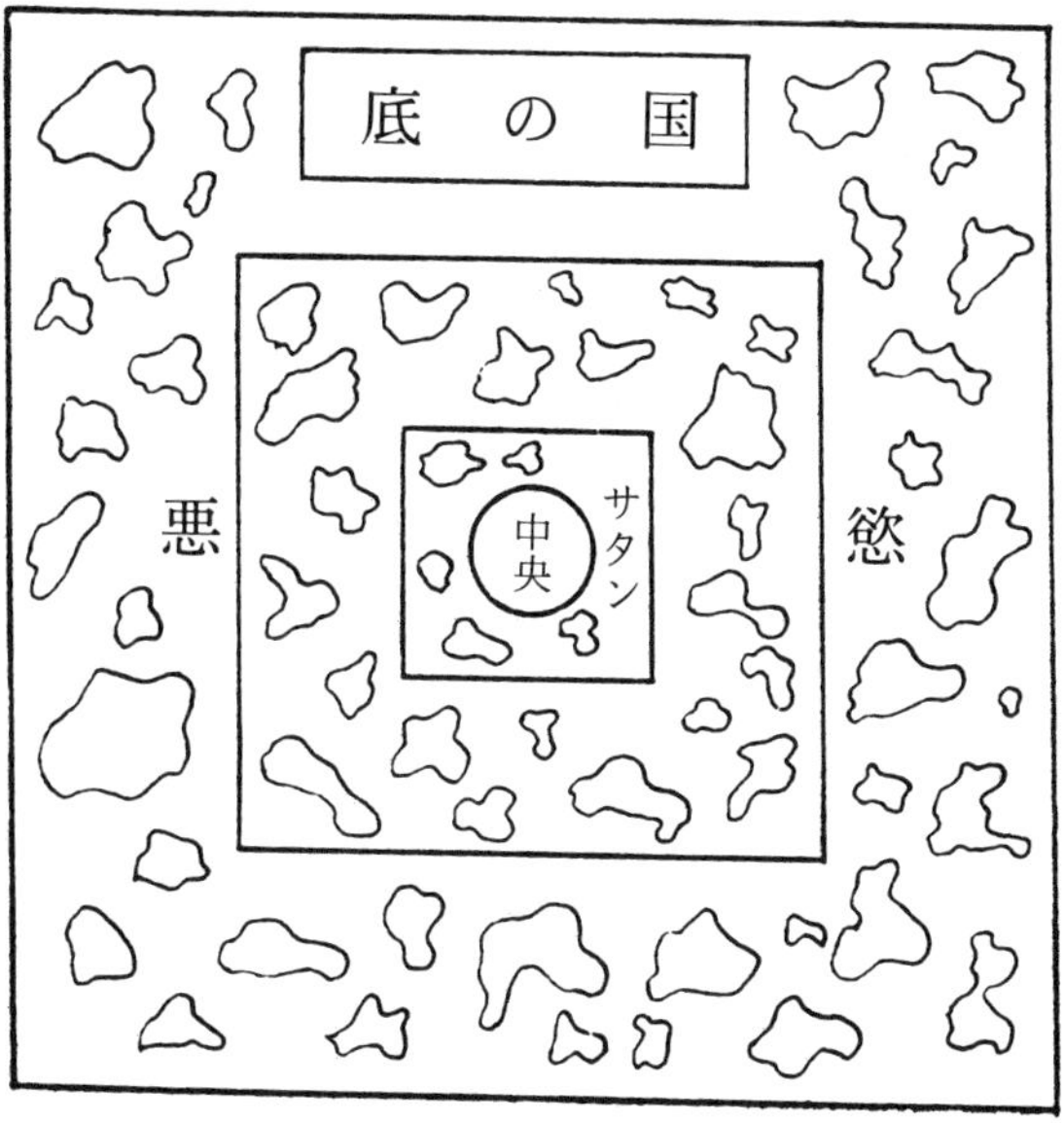

目次

霊《たま》の礎《いしずゑ》

一

霊界《れいかい》には神界《しんかい》、中界《ちうかい》、幽界《いうかい》の三大境域《さんだいきやうゐき》がある。

神界《しんかい》は神道家《しんだうか》の唱《とな》ふる高天原《たかあまはら》であり、仏者《ぶつしや》のいふ極楽浄土《ごくらくじやうど》であり、また耶蘇《やそ》のいふ天国《てんごく》である。

○

中界《ちうかい》は神道家《しんだうか》の唱《とな》ふる天《あめ》の八衢《やちまた》であり、仏者《ぶつしや》のいふ六道《ろくだう》の辻《つじ》であり、キリストのいふ精霊界《せいれいかい》である。

○

幽界《いうかい》は神道家《しんだうか》の唱《とな》ふる根《ね》の国底《くにそこ》の国《くに》であり、仏者《ぶつしや》のいふ八万地獄《はちまんぢごく》であり、またキリストのいふ地獄《ぢごく》である。

○

ゆゑに天《あめ》の八衢《やちまた》は高天原《たかあまはら》にもあらず、また根底《ねそこ》の国《くに》にもあらず、両界《りやうかい》の中間《ちうかん》に介在《かいざい》する中《なか》ほどの位置《ゐち》にして即《すなは》ち状態《じやうたい》である。人《ひと》の死後《しご》ただちに到《いた》るべき境域《きやうゐき》にしていはゆる中有《ちうう》である。中有《ちうう》にあることやや久《ひさ》しき後《のち》、現界《げんかい》にありしときの行為《かうゐ》の正邪《せいじや》により、あるいは高天原《たかあまはら》に昇《のぼ》り、あるいは根底《ねそこ》の国《くに》へ落《お》ち行《ゆ》くものである。

○

人霊《にんれい》中有《ちうう》の情態《じやうたい》（天《あめ》の八衢《やちまた》）にをるときは、天界《てんかい》にもあらず、また地獄《ぢごく》にもあらず。仏者《ぶつしや》のいはゆる六道《ろくだう》の辻《つじ》または三途《せうづ》の川辺《かはべ》に立《た》ちてゐるものである。

○人間《にんげん》における高天原《たかあまはら》の情態《じやうたい》とは、真《しん》と善《ぜん》と美《び》の相和合《あひわがふ》せし時《とき》であり、根底《ねそこ》の国《くに》の情態《じやうたい》とは、邪悪《じやあく》と虚偽《きよぎ》とが人間《にんげん》にありて合致《がつち》せる時《とき》をいふのである。

○人《ひと》の霊魂中《れいこんちう》にあるところの真《しん》と善《ぜん》と美《び》と和合《わがふ》する時《とき》は、その人《ひと》はただちに天国《てんごく》に昇《のぼ》り、人《ひと》の霊《れい》魂中《こんちう》にある邪悪《じやあく》と虚偽《きよぎ》と合致《がつち》したる時《とき》は、その人《ひと》はたちまち地獄《ぢごく》に墜《お》つるものである。かくのごときは天《あめ》の八衢《やちまた》にある時《とき》において行《おこな》はるるものである。

○天《あめ》の八衢《やちまた》（中有界《ちうう かい》）にある人霊《じんれい》はすこぶる多数《たすう》である。八衢《やちまた》は一切《いつさい》のものの初《はじ》めての会合所《くわいがふしよ》であつて、ここにて先《ま》づ霊魂《れいこん》を試験《しけん》され準備《じゆんび》さるるのである。人霊《じんれい》の八衢《やちまた》に彷徨《はうくわう》し居住《きよぢう》する期《き》間《かん》は必《かなら》ずしも一定《いってい》しない。ただちに高天原《たかあまはら》へ上《のぼ》るのもあり、ただちに地獄《ぢごく》に落《お》ちるのもある。極《ごく》善極真《ぜんごくしん》はただちに高天原《たかあまはら》に上《のぼ》り、極邪極悪《ごくじやごくあく》はただちに根底《ねそこ》の国《くに》へ墜落《ついらく》してしまふのである。あるいは八衢《やちまた》に数日《すうじつ》または数週日《すうしうじつ》数年間《すうねんかん》をるものである。されどここに三十年以上《さんじふねんいじやう》をるものはない。かくのごとく時限《じげん》において相違《さうゐ》があるのは、人間《にんげん》の内《ない》、外分《ぐわいぶん》の間《あひだ》に相応《さうおう》あると、あらざるとに由《よ》るからである。

○

人間《にんげん》の死《し》するや、神《かみ》はただちにその霊魂《れいこん》の正邪《せいじや》を審判《しんぱん》したまふ。ゆゑに悪《あ》しきものの地獄界《ぢごくかい》における醜団体《しうだんたい》に赴《おもむ》くは、その人間《にんげん》の世《よ》にある時《とき》、その主《しゆ》とするところの愛《あい》なるものが地獄界《ぢごくかい》に所《しよ》属《ぞく》してゐたからである。また善《よ》き人《ひと》の高天原《たかあまはら》における善美《ぜんび》の団体《だんたい》に赴《おもむ》くのも、その人《ひと》の世《よ》にありし時《とき》のその愛《あい》、その善《ぜん》、その真《しん》は正《まさ》に天国《てんごく》の団体《だんたい》にすでに加入《かにふ》してゐたからである。

○

天界地獄《てんかいぢごく》の区劃《くくわく》はかくのごとく判然《はんぜん》たりといへども、肉体《にくたい》の生涯《しやうがい》にありし時《とき》において朋友《ほういう》となり知己《ちき》となりしものや、特《とく》に夫婦《ふうふ》、兄弟《きやうだい》、姉妹《しまい》となりしものは、神《かみ》の許可《きよか》を得《え》て天《あめ》の八衢《やちまた》において会談《くわいだん》することができるものである。

○

生前《せいぜん》の朋友《ほういう》、知己《ちき》、夫婦《ふうふ》、兄弟《きやうだい》、姉妹《しまい》といへども、いつたんこの八衢《やちまた》に於《おい》て別《わか》れたる時《とき》は、高天原《たかあまはら》に於《おい》ても根底《ねそこ》の国《くに》に於《おい》ても再《ふた》び相見《あひみ》ることはできない、また相識《あひし》ることもない。ただし同《どう》一《いつ》の信仰《しんかう》、同一《どういつ》の愛《あい》、同一《どういつ》の性情《せいじやう》にをつたものは、天国《てんごく》に於《おい》て再《ふた》び相見《あひみ》、相識《あひし》ることができるのである。

○

人間《にんげん》の死後《しご》、高天原《たかあまはら》や根底《ねそこ》の国《くに》へ行《ゆ》くに先《さき》だつて、何人《なにびと》も経過《けいくわ》すべき状態《じやうたい》が三途《さんと》ある。そして第一《だいいち》は外分《ぐわいぶん》の状態《じやうたい》、第二《だいに》は内分《ないぶん》の状態《じやうたい》、第三《だいさん》は準備《じゆんび》の状態《じやうたい》である。この状態《じやうたい》を経過《けいくわ》する境域《きやうゐき》は、天《あめ》の八衢《やちまた》（中有界《ちううかい》）である。しかるに此《こ》の順序《じゆんじよ》を待《ま》たず、ただちに高天原《たかあまはら》に上《のぼ》り、根底《ねそこ》の国《くに》へ落《お》つるものもあるのは前《まへ》に述《の》べた通《とほ》りである。ただちに高天原《たかあまはら》に上《のぼ》りまたは導《みちび》かるるものは、その人間《にんげん》が現界《げんかい》にあるとき神《かみ》を知《し》り、神《かみ》を信《しん》じ、善道《ぜんだう》を履《ふ》み行《おこな》ひ、その霊魂《れいこん》は神《かみ》に復活《ふくくわつ》して高天原《たかあまはら》へ上《のぼ》る準備《じゆんび》が早《はや》くもできてゐたからである。

また善《ぜん》を表《おもて》に標榜《へうばう》して内心《ないしん》悪《あく》を包蔵《はうざう》するもの、即《すなは》ち自己《じこ》の凶悪《きようあく》を装《よそほ》ひ人《ひと》を欺《あざむ》くために善《ぜん》を利用《りよう》した偽善者《ぎぜんしや》や、不信仰《ふしんかう》にして神《かみ》の存在《そんざい》を認《みと》めなかつたものは、ただちに地獄《ちごく》に墜落《ついらく》し、無限《むげん》の永苦《えいく》を受《う》くることになるのである。

○

死後《しご》高天原《たかあまはら》に安住《あんぢう》せむとして霊的生涯《れいてきしやうがい》を送《おく》るといふことは、非常《ひじやう》に難事《なんじ》と信《しん》ずるものがある。世《よ》を捨《す》て、その身肉《しんにく》に属《ぞく》せるいはゆる情慾《じやうよく》なるものを、一切脱離《いつさいだつり》せなくてはならないからだと言《い》ふ人《ひと》がある。かくのごとき考《かんが》への人《ひと》は、主《しゆ》として富貴《ふうき》より成《な》れる世間的事物《せけんてきじぶつ》を斥《しりぞ》け、神《かみ》、仏《ほとけ》、救《すく》ひ、永遠《えいゑん》の生命《せいめい》といふことに関《くわん》して、絶《た》えず敬虔《けいけん》な想念《さうねん》を凝《こ》らし祈願《きぐわん》を励《はげ》み、教典《けうてん》を読誦《どくじゆ》して功徳《くどく》を積《つ》み、世《よ》を捨《す》て肉《にく》を離《はな》れて霊《れい》に住《す》めるものと思《おも》つてをるのである。しかるに天国《てんごく》はかくのごとくにして上《のぼ》り得《う》るものではない。世《よ》を捨《す》て霊《れい》に住《す》み肉《にく》を離《はな》れようと努《つと》むるものは、かへつて一種悲哀《いつしゆひあい》の生涯《しやうがい》を修得《しうとく》し、高天原《たかあまはら》の歓楽《くわんらく》を摂受《せつじゆ》することは到底《たうてい》できるものではない。なんとなれば、人《ひと》は各自《かくじ》の生涯《しやうがい》が死後《しご》にもなほ留存《りうぞん》するものなるがゆゑである。

高天原《たかあまはら》に上《のぼ》りて歓楽《くわんらく》の生涯《しやうがい》を永遠《えいゑん》に受《う》けむと思《おも》はば、現世《げんせ》において世間的《せけんてき》の業務《げふむ》を採《と》りその職掌《しよくしやう》を尽《つ》くし、道徳的民文的生涯《だうとくてきみんぶんてきしやうがい》をおくり、かくして後《のち》はじめて霊的生涯《れいてきしやうがい》を受《う》けねばならぬのである。これを外《ほか》にしては霊的生涯《れいてきしやうがい》をなし、その心霊《しんれい》をして高天原《たかあまはら》に上《のぼ》るの準備《じゆんび》を完《まつた》うし得《う》べき途《みち》はないのである。内的生涯《ないてきしやうがい》を清《きよ》く送《おく》ると同時《どうじ》に外的生涯《ぐわいてきしやうがい》を営《いとな》まないものは、砂上《さじやう》の楼《ろう》閣《かく》のごときものである。あるいは次第《しだい》に陥没《かんぼつ》し、あるいは壁落《かべお》ち床破《ゆかやぶ》れ崩壊《ほうくわい》し顛覆《てんぷく》するごときものである。あゝ惟神《かむながら》霊幸《たまち》倍坐《はへま》世《せ》。

二

幼児《えうじ》嬰児《えいじ》の死後《しご》

嬰児《えいじ》や幼児《えうじ》の不幸《ふかう》にして　現世界《このよ》を去《さ》りしその後《あと》の
状況《じやうきやう》具《つぶ》さに演《の》べておく。

○

人《ひと》と現《あら》はれ出《い》でし身《み》は　かならず復活《ふくくわつ》するものぞ
そは神言《かみごと》と言霊《ことたま》の　力《ちから》に頼《たよ》り得《う》ればなり
言霊神語《げんれいしんご》に神真《まこと》あり　神真《まこと》に由《よ》りて復活《ふくくわつ》し

神《かみ》をば覚《さと》り得《う》るものぞ。

○

嬰児《えいじ》はその父《ちち》また母《はは》の　善悪正邪《ぜんあくせいじゃ》にかかはらず
信《しん》と不信《ふしん》の区別《くべつ》なく　その死《し》にあたりて救世神《ぐせしん》の
摂受《せつじゅ》し給《たま》ふものなれば　神界《しんかい》にても慇懃《いんぎん》に
一大薫陶《いちだいくんたう》を受《う》くるなり。

○

嬰児《えいじ》は順序《じゅんじょ》に従《したが》ひて　教育《けういく》せられ善《ぜん》と美《び》に
対《たい》する情動《じやうどう》に浸染《しんせん》し　真智《しんち》を培《つちか》ひ識《しき》を得《え》つ
そののち知識《ちしき》と証覚《しょうかく》と　相《あひ》ともなひて円満《ゑんまん》の

域《ゐき》に進《すす》むに従《したが》ひて
遂《つひ》に天界《たかま》へ導《みちび》かれ
天人神子《てんにんしんし》となるものぞ。

○

事物《じぶつ》の道理《だうり》に通暁《つうげう》せる
世人《せじん》は決《けつ》して一人《ひとり》でも
地獄《ぢごく》根底《ねそこ》へ行《ゆ》くために
生《う》まれ出《い》でたる者《もの》はなし
ただ神霊界《しんれいかい》の経綸《けいりん》に
仕《つか》ふるために生《あ》れし者《もの》ぞ
根底《ねそこ》の国《くに》や地獄《ぢごく》へと
落《お》ち行《ゆ》くものは自《みづか》らの
現世《げんせ》に犯《をか》せし罪過《ざいくわ》にて
身《み》を苦《くる》しむる者《もの》ぞかし
嬰児《えいじ》幼児《えうじ》は世《よ》の中《なか》に
罪過《ざいくわ》を犯《をか》せしこともなく
清浄《せいじやう》の身魂《みたま》のゆゑぞかし。

○

嬰児《えいじ》幼児《えうじ》の現界《げんかい》を　去《さ》りて他界《たかい》に到《いた》る時《とき》は
依然《いぜん》と元《もと》の嬰児《えいじ》なり　無識《むしき》と無智《むち》のそのうちに
清浄《せいじやう》無垢《むく》のところあり　万事《ばんじ》に対《たい》して可愛《かはい》こと
その生前《せいぜん》と異《こと》ならず　彼《かれ》は神界《しんかい》の天人《てんにん》と
なるべき資格能力《しかくのうりよく》の　萌芽《はうが》を自然《しぜん》に保有《ほいう》せり
あゝ惟神《かむながら》 惟神《かむながら》　神《かみ》の仁慈《じんじ》の尊《たふと》さよ。

○

すべての人《ひと》の現《うつ》し世《よ》を　捨《す》てて他界《たかい》に入《い》る時《とき》も
また生前《せいぜん》と同一《どういつ》の　状態《じやうたい》なるぞ不思議《ふしぎ》なれ。

○

嬰児《えいじ》は嬰児《えいじ》の状態《じやうたい》に　幼児《えうじ》は幼児《えうじ》の状態《じやうたい》に
青年《せいねん》 成人《せいじん》 老人《らうじん》も　現界同様《げんかいどうやう》の状態《じやうたい》で
中有《ちうう》世界《せかい》に逍遥《せうえう》す　各自《かくじ》の人《ひと》の状態《じやうたい》が
転変《てんぺん》するはその後《のち》ぞ。

○

嬰児《えいじ》幼児《えうじ》の状態《じやうたい》の　他《た》よりも優《まさ》りしものあるは
清浄《せいじやう》無垢《むく》にて悪念《あくねん》の　起《お》こりしことなく実際《じつさい》の
その生涯《しやうがい》に悪業《あくごふ》の　根底《ねそこ》に下《お》ろさぬためぞかし
清明《せいめい》無垢《むく》の嬰幼児《えいえうじ》は　神霊世界《しんれいせかい》一切《いつさい》の

事物《じぶつ》は心《こころ》に植《う》ゑ込《こ》まれ　信《まこと》の真《しん》と愛《あい》の善《ぜん》
受《う》くべき器《うつは》なればなり。

○

他界《たかい》における嬰児《みどりご》の　その状態《じやうたい》は現界《げんかい》の
小児《せうに》にすべて超越《てうゑつ》す　物質的《ぶつしつてき》の形態《けいたい》を
有《いう》するものは自身《じしん》にて　頑鈍《ぐわんどん》なればその始《はじ》め
受《う》くるところの感覚《かんかく》と　情緒《じやうちよ》は霊界《れいかい》よりでなく
外界起元《ぐわいかいきげん》を辿《たど》りゆく。

○

ゆゑに世上《せじやう》の嬰児等《えいじら》は　いかに地上《ちじやう》を歩《あゆ》まむか

いかに動作《どうさ》を統制《とうせい》し　言語《げんご》を発《はつ》することまでも
学《まな》ばにやならぬ不便《ふべん》あり　その感覚《かんかく》に至《いた》りても
眼《まなこ》や耳《みみ》や口《くち》のごとき　そを開《ひら》かむと焦慮《せうりよ》して
漸《やうや》く目的達成《もくてきたつせい》す。

○

されど他界《たかい》の小児等《せうにら》は　これと全《まつた》く相反《あひはん》し
精霊界《せいれいかい》にあるゆゑに　動作《どうさ》ことごと内分《ないぶん》より
来《く》れば実習《じつしふ》を待《ま》たずして　あるいは歩《あゆ》み且《か》つ語《かた》る
神霊界《しんれいかい》の天人《てんにん》の　言語《げんご》は概《がい》して想中《さうちう》の
諸概念《しよがいねん》にて調停《てうてい》され　その情動《じやうどう》より流《なが》れ出《い》づ

これ現界《げんかい》と霊界《れいかい》の

人《ひと》の相違《さうゐ》のある点《てん》ぞ。

大正十一年十二月

三

高天原《たかあまはら》の天国《てんごく》に上《のぼ》るものは、地上《ちじやう》にある時《とき》その身内《しんない》に愛《あい》と信《しん》との天国《てんごく》を開設《かいせつ》しおかなければ、死後《しご》において身外《しんぐわい》の天国《てんごく》を摂受《せつじゆ》することは不可能《ふかのう》である。

○

人間《にんげん》として、その身内《しんない》に天国《てんごく》を有《いう》しなかつたならば、身外《しんぐわい》にある天国《てんごく》は決《けつ》してその人《ひと》に流《なが》れくるものではない。またこれを摂受《せつじゆ》することができぬものである。要《えう》するに人《ひと》は現実界《げんじつかい》にある間《あひだ》に、みづから心身内《しんしんない》に天国《てんごく》を造《つく》りおく必要《ひつえう》がある。しかして天国《てんごく》をみづから造《つく》りかつ開《ひら》くのは、神《かみ》を愛《あい》し神《かみ》を信《しん》じ無限絶対《むげんぜつたい》と合一《がふいつ》しておかねばならぬ。人《ひと》はどうしても、この無限絶対《むげんぜつたい》の一断片《いちだんぺん》である以上《いじやう》は、どこまでも無限絶対《むげんぜつたい》、無始無終《むしむしう》の真神《しんしん》を信愛《しんあい》せなくては、霊肉《れいにく》ともに安静《あんせい》を保《たも》つことはできぬものである。

○

真神《しんしん》たる天之御中主《あめのみなかぬし》の大神《おほかみ》その霊徳《れいとく》の完備具足《くわんびぐそく》せるを天照皇大御神《あまてらすめおほみかみ》と称《とな》へ奉《たてまつ》り、また撞《つき》の大御神《おほみかみ》と称《とな》へ奉《たてまつ》る。しかして火《ひ》の御祖神《ごそしん》（霊《れい》）を高皇産霊大神《たかみむすびのおほかみ》と称《とな》へ厳《いづ》の御魂《みたま》と申《まを》し奉《たてまつ》り、水《みづ》の御祖神《ごそしん》（体《たい》）を神皇産霊大神《かむみむすびのおほかみ》と称《とな》へ瑞《みづ》の御魂《みたま》と申《まを》し奉《たてまつ》る。

○

霊系《れいけい》の主宰神《しゆさいしん》は厳《いづ》の御魂《みたま》にまします国常立神《くにとこたちのかみ》、体系《たいけい》の主宰神《しゆさいしん》は瑞《みづ》の御魂《みたま》とまします豊国主《とよくにぬしの》尊《みこと》と申《まを》し奉《たてまつ》る。

○

以上《いじやう》の三神《さんしん》はその御活動《ごくわつどう》によりて種々《しゆじゆ》の名義《めいぎ》あれども、三位一体《さんみいつたい》にして天之御中主《あめのみなかぬし》の大神《おほかみ》（大《おほ》国常立尊《くにとこたちのみこと》）御一柱《おんひとはしら》に帰着《きちやく》するのである。

○

ゆゑに独一真神《どくいつしんしん》と称《とな》へ奉《たてまつ》り、一神《いつしん》即《すなは》ち多神《たしん》にして、多神《たしん》即《すなは》ち一神《いつしん》である。これを短縮《たんしゆく》して主《しゆ》と曰《い》ふ。また厳《いづ》の御魂《みたま》は霊界人《れいかいじん》の主《しゆ》である。また瑞《みづ》の御魂《みたま》は現界人《げんかいじん》の心身内《しんしんない》を守《まも》り治《をさ》むる主《しゆ》である。

○

現界人《げんかいじん》にして心身内《しんしんない》に天国《てんごく》を建《た》てておかねば、死後身外《しごしんぐわい》の天国《てんごく》を摂受《せつじゆ》することは到底不可能《たうていふかのう》である。死後天国《しごてんごく》の歓喜《くわんき》を摂受《せつじゆ》し、かつ現実界《げんじつかい》の歓喜生活《くわんきせいくわつ》を送《おく》らむと思《おも》ふものは、瑞《みづ》の御霊《みたま》の守《まも》りを受《う》けねばならぬ。要《えう》するに生命《いのち》の清水《しみづ》を汲《く》みとり、飢《う》ゑ渇《かは》ける心霊《しんれい》を霑《うるほ》しておかねばならぬのである。瑞《みづ》の御魂《みたま》の手《て》を通《とほ》し、口《くち》を通《とほ》して示《しめ》されたる言霊《ことたま》が即《すなは》ち生命《いのち》の清水《しみづ》である。霊界物《れいかいもの》語《がたり》によつて人《ひと》は心身《しんしん》ともに歓喜《くわんき》に咽《むせ》び、永遠《えいゑん》の生命《せいめい》を保《たも》ち、死後《しご》の歓楽境《くわんらくきやう》を築《きづ》き得《う》るものである。

○

天帝《てんてい》即《すなは》ち主《しゆ》は水火《すいくわ》の息《いき》を呼吸《こきふ》して、無限《むげん》に絶対《ぜつたい》にその生命《せいめい》を保《たも》ち、また宇《う》宙万有《ちうばんいう》の生命《せいめい》の源泉《げんせん》となり玉《たま》ふ。

○

太陽《たいやう》また水火《すいくわ》の息《いき》を呼吸《こきふ》して光温《くわうをん》を万有《ばんいう》に与《あた》ふ。されど太陽神《たいやうしん》の呼吸《こきふ》する大気《たいき》は、太陰神《たいいんしん》の呼吸《こきふ》する大気《たいき》ではない。また人間《にんげん》の呼吸《こきふ》する大気《たいき》は、主《しゆ》および日月《じつげつ》の呼吸《こきふ》する大気《たいき》ではない。ゆゑに万物《ばんぶつ》の呼吸《こきふ》する大気《たいき》もまた、それぞれに違《ちが》つてゐる。すべて神《かみ》の呼吸《こきふ》する大気《たいき》は、現体《げんたい》の呼《こ》吸《きふ》する大気《たいき》ではない。現実界《げんじつかい》と精霊界《せいれいかい》とすべての事象《じしやう》の相違《さうゐ》あるは、是《これ》にても明《あき》らかである。しかしながら現実界《げんじつかい》も精霊界《せいれいかい》も、外面《ぐわいめん》より見《み》れば殆《ほと》んど相似《さうじ》してゐるものである。なんとなれば、現実界《げんじつかい》の一切《いつさい》は精霊界《せいれいかい》の移写《いしや》なるを以《もつ》てである。

○

高天原《たかあまはら》の天国《てんごく》は主《しゆ》の神格《しんかく》によりて所成《しよせい》せられてをる。ゆゑに全徳《ぜんとく》の人間《にんげん》のゆく天国《てんごく》と、三徳《さんとく》二徳《にとく》一徳《いつとく》の人間《にんげん》のゆく天国《てんごく》とは、おのおの高下《かうげ》の区別《くべつ》がある。また主《しゆ》を見《み》る人々《ひとびと》によつて主《しゆ》の神格《しんかく》に相違《さうゐ》があるのである。

○

そして何人《なにびと》の眼《まなこ》にも同一《どういつ》に見《み》えざるは、主神《しゆしん》の身《み》に変異《へんい》があるのではない。主《しゆ》を見《み》るところの塵身《ぢんしん》または霊身《れいしん》に、その徳《とく》の不同《ふどう》があつて、自身《じしん》の情動《じやうどう》によりてその標準《へうじゆん》を定《さだ》むるからである。

天国《てんごく》には、霊身《れいしん》の善徳《ぜんとく》の如何《いかん》によって高下《かうげ》 大小《だいせう》 種々《しゆじゆ》の団体《だんたい》が開《ひら》かれてをる。主《しゆ》を愛《あい》し主《しゆ》を信《しん》じて徳全《とくまつた》きものは、最高天国《さいかうてんごく》に上《のぼ》り最歓喜《さいくわんき》の境《きやう》 に遊《あそ》び、主《しゆ》の御姿《みすがた》もまた至真《ししん》 至美《しび》 至善《しぜん》に映《えい》ずるのである。ここにおいてか、天国《てんごく》に種々《しゆじゆ》の区別《くべつ》が現出《げんしゆつ》し、主神《しゆしん》の神格《しんかく》を見《み》る眼《まなこ》に高下《かうげ》 勝劣《しようれつ》の区別《くべつ》ができるのである。○

また天国外《てんごくぐわい》にある罪悪不信《ざいあくふしん》の徒《と》にいたつては、主神《しゆしん》を見《み》れば苦悶《くもん》に堪《た》へず、かつ悪相《あくさう》に見《み》え、恐怖措《きようふお》く能《あた》はざるにいたるのである。○

主神《しゆしん》が天国《てんごく》の各団体《かくだんたい》の中《なか》にその神姿《しんし》を現《あら》はしたまふときは、その御相《おんさう》は一個《いつこ》の天人《てんにん》に似《に》させたまふ。されど主《しゆ》は他《た》の諸多《しよた》の天人《てんにん》とは天地《てんち》の相違《さうゐ》がある。主《しゆ》みづからの御神格《ごしんかく》がその神身《しんしん》より全徳《ぜんとく》によつて赫《かがや》きたまふからである。

○

一霊四魂《いちれいしこん》、即《すなは》ち直霊《ちよくれい》、荒魂《あらみたま》、和魂《にぎみたま》、奇魂《くしみたま》、幸魂《さちみたま》、以上《いじやう》の四魂《しこん》には各自《かくじ》直霊《ちよくれい》といふ一霊《いちれい》がこれを主宰《しゆさい》してをる。この四魂《しこん》全《まつた》く善《ぜん》と愛《あい》と信《しん》とに善動《ぜんどう》し活用《くわつよう》するを全徳《ぜんとく》と曰《い》ふ。全徳《ぜんとく》の霊身《れいしん》および塵身《ぢんしん》は、直《ただ》ちに天国《てんごく》の最高位地《さいかうゐち》に上《のぼ》り、また三魂《さんこん》の善《ぜん》の活用《くわつよう》するを三徳《さんとく》といひ第二《だいに》の天《てん》国《ごく》に進《すす》み、また二魂《にこん》の善《ぜん》の活用《くわつよう》するを二徳《にとく》といひ第三《だいさん》の天国《てんごく》に進《すす》み、また一魂《いつこん》の善《ぜん》の活用《くわつよう》するを一徳《いつとく》または一善《いちぜん》といひ、最下級《さいかきふ》の天国《てんごく》へ到《いた》り得《う》るものである。一徳一善《いつとくいちぜん》の記《しる》すべきなきものは、草莽間《さうまうかん》に漂浪《へうらう》し、または天《あめ》の八衢《やちまた》に彷徨《はうくわう》するものである。

○

これに反《はん》して悪《あく》の強《つよ》きもの、不《ふ》信《しん》 不《ふ》愛《あい》 不《ふ》徳《とく》の徒《と》は、その罪業《ざいごふ》の軽重《けいちよう》に応《おう》じてそれぞれの地《ち》獄《ごく》へ堕《だ》し、罪相当《つみさうたう》の苦悶《くもん》を受《う》くるのである。

大正十一年十二月

四

真神《しんしん》または厳瑞《げんずい》なる主神《すしん》に認《みと》められ　愛《あい》せられ　信《しん》ぜられ、また主神《すしん》を認《みと》め　深《ふか》く信《しん》じ　厚《あつ》く愛《あい》するところには、必《かなら》ず天国《てんごく》が開《ひら》かれるものである。諸多《しよた》の団体《だんたい》における善徳《ぜんとく》の不同《ふどう》よりして、主神《すしん》を礼拝《れいはい》するその方法《はうはふ》もまた同一《どういつ》でない。ゆゑに天国《てんごく》にも差等《さとう》あり、人《ひと》の往生《わうじやう》すべき天国《てんごく》に相違《さうゐ》ができるのである。しかしながら天国《てんごく》の円満《ゑんまん》なるは、かくの如《ごと》く不同《ふどう》あるがゆゑである。同一《どういつ》の花《はな》の咲《さ》く樹《き》にも種々《しゆじゆ》の枝振《えだぶ》りもあり、花《はな》にも満開《まんかい》のもの　半開《はんかい》のもの　蕾《つぼみ》のままのものがあつて、一《ひと》つの花樹《くわじゆ》の本分《ほんぶん》を完全《くわんぜん》につくしてゐるやうなものである。

○

天国《てんごく》は各種各様《かくしゆかくやう》の分体《ぶんたい》より形成《けいせい》したる単元《たんげん》であつて、その分体《ぶんたい》は最《もつと》も円満《ゑんまん》なる形式《けいしき》の中《なか》に排《はい》列《れつ》せられてゐる。すべて円満具足《ゑんまんぐそく》の相《さう》なるものは諸分体《しよぶんたい》の調節《てうせつ》より来《き》たるものといふことは、吾《ご》人《じん》のもろもろの感覚《かんかく》や外心《ぐわいしん》を動《うご》かすところの一切《いつさい》の美《び》なるもの 楽《たの》しきもの 心《こころ》ゆくものの性質《せいしつ》を見《み》れば分明《ぶんめい》である。あまたの相和《あひわ》し相協《あひかな》うた分体《ぶんたい》があつて、あるいは同時《どうじ》にあるいは連続《れんぞく》して節奏《せつそう》および調和《てうわ》を生《しやう》ずるより起《お》こり来《き》たるもので、決《けつ》して単独《たんどく》の事物《じぶつ》より発《はつ》せないものである。ゆゑに種々《しゆじゆ》の変化《へんくわ》は快感《くわいかん》を生《しやう》ずるに到《いた》ることは、吾人《ごじん》の日夜《にちや》目撃実証《もくげきじつしよう》するところである。そしてこの快感《くわいかん》の性相《せいさう》を定《さだ》むるは変化《へんくわ》の性質《せいしつ》いかんにあるのである。天国《てんごく》における円満具足《ゑんまんぐそく》の実《じつ》相《さう》は、種々《しゆじゆ》の変態《へんたい》に帰因《きいん》することを明《あき》らめ得《え》らるるのである。

○

天国《てんごく》の全体《ぜんたい》は一《ひと》つの巨人《きよじん》に譬《たと》ふべきものである。ゆゑに甲《かふ》の天国団体《てんごくだんたい》はその頭部《とうぶ》に または頭《とう》部《ぶ》のある局所《きよくしよ》にあるやうなものである。乙天国《おつてんごく》の団体《だんたい》は胸部《きようぶ》に また胸部《きようぶ》のある局所《きよくしよ》にある。丙天国《へいてんごく》の団体《だんたい》は腰部《えうぶ》または腰部《えうぶ》のある局所《きよくしよ》にあるごときものである。ゆゑに最上天国即《さいじやうてんごくすなは》ち第一《だいいち》天国《てんごく》は頭部《とうぶ》より頸《くび》に至《いた》るまでを占《し》め、中間即《ちうかんすなは》ち第二《だいに》天国《てんごく》は胸部《きようぶ》より腰《こし》および膝《ひざ》の間《あひだ》を占《し》め、最《さい》下即《かすなは》ち第三天国《だいさんてんごく》は脚部《きやくぶ》より脚底《きやくてい》と、臂《ひぢ》より指頭《しとう》の間《あひだ》を占《し》めてゐるやうなものである。

○

天国《てんごく》は決《けつ》して上《うへ》の方《はう》のみにあるものでない。上方《じやうはう》にも中間《ちうかん》にも下方《かはう》にも存在《そんざい》するものである。人間《にんげん》の肉体《にくたい》に上下《じやうげ》の区別《くべつ》なく頭部《とうぶ》より脚底《きやくてい》に至《いた》るまで、それぞれ意志《いし》のままに活動《くわつどう》する資質《ししつ》あるごときものである。ゆゑに天国《てんごく》の下面《かめん》に住《す》む精霊《せいれい》もあり、天人《てんにん》もある。また天国《てんごく》の上面《じやうめん》に住《す》むのも中間《ちうかん》に住《す》むのもある。天《てん》の高天原《たかあまはら》もあり地《ち》の高天原《たかあまはら》もあつて、各自《かくじ》その善徳《ぜんとく》の相違《さうゐ》によつて住所《ぢうしよ》を異《こと》にするのである。

○

宇宙間《うちうかん》においては一物《いちぶつ》といへども決《けつ》して失《うしな》はるることもなく、また一物《いちぶつ》も静止《せいし》してゐるものではない。ゆゑに輪廻《りんね》転生《てんしやう》即《すなは》ち再生《さいせい》といふことはありうべきものである。しかるに生前《せいぜん》の記憶《きおく》や意志《いし》が滅亡《めつばう》した後《のち》に、やはり個人《こじん》といふものが再生《さいせい》して行《ゆ》くとすれば、つまり自分《じぶん》が自分《じぶん》であるといふことを知《し》らずに再生《さいせい》するものならば、再生《さいせい》せないも同《おな》じことであると言《い》ふ人《ひと》がある。実《じつ》にもつともな言《い》ひ分《ぶん》である。すべて人間《にんげん》の意志《いし》や情動《じやうどう》なるものは、どこまでも朽《く》ちないものである以上《いじやう》は、霊魂不滅《れいこんふめつ》の上《うへ》からみても記憶《きおく》や意志《いし》をもつて天国《てんごく》へ行《ゆ》くものである。しかし現界《げんかい》へ再生《さいせい》する時《とき》はいつたんその肉体《にくたい》が弱少《じやくせう》となるをもつて、容易《ようい》に記憶《きおく》を換起《くわんき》することはできないのである。また記憶《きおく》してゐても何《なん》の益《えき》するところなきのみならず、種々《しゆじゆ》の人生上《じんせいじやう》弊害《へいがい》がともなふからである。これに反《はん》して、天国《てんごく》へゆく時《とき》はその記憶《きおく》も意念《いねん》もますます明瞭《めいれう》になつて来《く》るものである。ゆゑに天国《てんごく》にては再生《さいせい》といはず、復活《ふくくわつ》といふのである。

○

科学的《くわがくてき》の交霊論者《かうれいろんしや》は人霊《じんれい》の憑依《ひようい》せし情況《じやうきやう》や死後《しご》の世界《せかい》について、種々《しゆじゆ》と論弁《ろんべん》を試《こころ》みてゐるのは全然無用《ぜんぜんむよう》の業《わざ》でもない。しかしながら、彼《かれ》らの徒《と》は最初《さいしよ》と最後《さいご》のこの二《ふた》つの謎《なぞ》の間《あひだ》に板挾《いたばさ》みの姿《すがた》で、その言《い》ふところを知《し》らないありさまである。彼《かれ》らはホンの少時間《せうじかん》、時間《じかん》といふものをもはや数《かぞ》へることのできぬ世界《せかい》へホンの一足《ひとあし》ばかり死者《ししや》の跡《あと》をつけて行《ゆ》くだけであつて、闇黒《あんこく》の中《なか》でそのまま茫然《ばうぜん》としてその行方《ゆくへ》を失《うしな》つてしまつてゐる。彼《かれ》らに対《たい》して宇宙《うちう》の秘密《ひみつ》や真相《しんさう》を闡明《せんめい》せよといつたところで、到底《たうてい》ダメである。

○

宇宙《うちう》の秘密《ひみつ》や真相《しんさう》は到底《たうてい》二言《ふたこと》や三言《みこと》で現代人《げんだいじん》の脳裡《なうり》に入《い》るものではない。また本当《ほんたう》にこれを物《もの》語《がた》つたところで、到底人間《たうていにんげん》の頭脳《づなう》には入《い》り切《き》れるものではない。人間《にんげん》の分際《ぶんざい》としては、いかなる聖人《せいじん》も賢哲《けんてつ》も決《けつ》して天国《てんごく》や霊界《れいかい》の秘密《ひみつ》や真相《しんさう》を握《にぎ》ることは不可能《ふかのう》だと信《しん》じてゐる。何《なん》となれば、この秘密《ひみつ》や真相《しんさう》は宇宙《うちう》それ自身《じしん》のごとく、無限《むげん》で絶対《ぜったい》で不可測《ふかそく》で窮極《きうきよく》するところのないものだからである。

○

死者《ししや》がやはり霊界《れいかい》に生《い》きてゐるならば、彼《かれ》らは何《なん》らかの方法《はうはふ》を用《もち》ゐてなりと吾々《われわれ》に教《をし》へてくれさうなものだといふ人《ひと》がある。しかしながら、死者《ししや》が吾々《われわれ》と話《はなし》をすることができる時分《じぶん》には、死者《ししや》の方《はう》において何《なに》も吾々《われわれ》に報告《はうこく》すべき材料《ざいれう》を持《も》つてゐないし、また何《なに》か話《はな》すべきほどの事柄《ことがら》を知《し》り得《え》た時分《じぶん》には、死者《ししや》はもはや吾々《われわれ》と交通《かうつう》のできない天国《てんごく》へ上《のぼ》つて、永久《とこしへ》に吾々人間《われわれにんげん》と懸《か》け離《はな》れてしまつてゐるからである。

大正十一年十二月　　　　（昭和一〇・六・三　王仁校正）

五

高天原《たかあまはら》に復活《ふくくわつ》したる人間《にんげん》の霊身《れいしん》は、地上現実界《ちじやうげんじつかい》に生存《せいぞん》せし時《とき》のごとく、思想《しさう》感情《かんじやう》意識等《いしきとう》を有《いう》して楽《たの》しく神《かみ》の懐《ふところ》に抱《いだ》かれ、種々《しゆじゆ》の積極的神業《せききよくてきしんげふ》を営《いとな》むことを得《う》るは前《まへ》に述《の》べた通《とほ》りである。

○

さて人間《にんげん》はどうして現界《げんかい》に人《ひと》の肉体《にくたい》を保《たも》ちて生《う》まれ来《く》るかといふ問題《もんだい》に至《いた》っては、いかなる賢《けん》哲《てつ》も的確《てきかく》な解決《かいけつ》を与《あた》へてゐない。しかしこれは実《じつ》にやむを得《え》ないところである。物質的要素《ぶつしつてきえうそ》をもつて捏《こ》ね固《かた》められたる人間《にんげん》として、無限絶対《むげんぜつたい》なる精霊界《せいれいかい》の消息《せうそく》を解釈《かいしやく》せむとするのは、あたかも木《き》に倚《よ》りて魚《うを》を求《もと》め、海底《かいてい》に潜《ひそ》みて焚火《たきび》の暖《だん》を得《え》むとするやうなものである。ゆゑに現界人《げんかいじん》は、死後《しご》の生涯《しやうがい》や霊界《れいかい》の真相《しんさう》を探《さぐ》らむとして何《なに》ほど奮勉努力《ふんべんどりよく》したところで、到底不可能《たうていふかのう》不成功《ふせいこう》に終《を》はるのは寧《むし》ろ当然《たうぜん》である。一度《いちど》神界《しんかい》の特別《とくべつ》の許可《きよか》を得《え》たるものが、無数《むすう》の霊界《れいかい》を探《さぐ》り来《き》たり、これを現界《げんかい》へその一部分《いちぶぶん》を伝《つた》へたものでなくては、到底今日《たうていこんにち》の学者《がくしや》の所説《しよせつ》は憶測《おくそく》に過《す》ぎないことになつてしまふ。

○

そもそも高天原《たかあまはら》の天国《てんごく》に住《す》む天人即《てんにんすなは》ち人間《にんげん》の昇天《しようてん》せし霊身人《れいしんじん》は、地上《ちじやう》と同様《どうやう》に夫婦《ふうふ》の情交《じやうかう》を行《おこな》ひ、遂《つひ》に霊《れい》の子《こ》を産《う》んで、これを地上《ちじやう》にある肉体人《にくたいじん》の息《いき》に交《まじ》へて人間《にんげん》を産《う》ましめるものである。故《ゆゑ》に人《ひと》は神《かみ》の子《こ》、神《かみ》の宮《みや》といふのである。地上《ちじやう》はすべて天国《てんごく》の移写《いしや》であるから、天国《てんごく》において天《てん》人夫婦《にんふうふ》が情交《じやうかう》を行《おこな》ひ霊子《れいし》を地上《ちじやう》に蒔《ま》き落《お》とす時《とき》は、その因縁《いんねん》の深《ふか》き地上《ちじやう》の男女《だんぢよ》はたちまち霊《れい》に感《かん》じ情交《じやうかう》を為《な》し、胎児《たいじ》を宿《やど》すことになる。その胎児《たいじ》は即《すなは》ち天人《てんにん》の蒔《ま》いた霊《れい》の子《こ》の宿《やど》つたものである。その児《こ》の善《ぜん》に発達《はったつ》したり悪《あく》に落《お》つるのもまた、その蒔《ま》かれた田畑《たはた》の良否《りやうひ》によつて、幾分《いくぶん》かの影響《えいきやう》をその児《こ》が受《う》けるのはやむを得《え》ない。智愚正邪《ちぐせいじや》の区別《くべつ》のつくのもやむを得《え》ない。石《いし》の上《うへ》に蒔《ま》かれた種子《たね》は決《けつ》して生《は》えない。また瘠土《せきど》に蒔《ま》かれた種子《たね》は、肥沃《ひよく》の地《ち》に蒔《ま》かれた種子《たね》に比《ひ》すれば大変《たいへん》な相違《さうゐ》があるものだ。これを思《おも》へば人間《にんげん》は造次《ざうじ》にも顛沛《てんぱい》にも、正《ただ》しき清《きよ》き温《あたた》かき優《やさ》しき美《うるは》しき心《こころ》を持《も》ち、最善《さいぜん》の行《おこな》ひを励《はげ》まねばならぬ。せつかくの天《てん》よりの種子《たね》を発育不良《はついくふりやう》に陥《おちい》らしめ、あるいは不発生《ふはつせい》に終《を》はらしむるやうなことになつては、人生《ひとう》みの神業《しんげふ》を完全《くわんぜん》に遂行《すいかう》することはできなくなつて、宇宙《うちう》の大損害《だいそんがい》を招《まね》くに至《いた》るものである。

人間《にんげん》が現界《げんかい》へ生《う》まれて来《く》る目的《もくてき》は、天国《てんごく》を無限《むげん》に開《ひら》くべく天《てん》よりその霊体《れいたい》の養成所《やうせいしよ》として降《くだ》されたものである。決《けつ》して数十年《すうじふねん》の短《みじか》き肉的生活《にくてきせいくわつ》を営《いとな》むためではない。要《えう》するに人《ひと》の肉体《にくたい》とともにその霊子《れいし》が発達《はつたつ》して、天国《てんごく》の神業《しんげふ》を奉仕《ほうし》するためである。天国《てんごく》に住《す》む天人《てんにん》は、是非《ぜひ》とも一度《いちど》人《にん》間《げん》の肉体内《にくたいない》に入《い》りてその霊子《れいし》を完全《くわんぜん》に発育《はついく》せしめ、現人同様《げんじんどうやう》の霊体《れいたい》を造《つく》り上《あ》げ、地上《ちじやう》の世界《せかい》において善徳《ぜんとく》を積《つ》ませ、完全《くわんぜん》なる霊体《れいたい》として、天上《てんじやう》に還《かへ》らしめむがためである。ゆゑに現界人《げんかいじん》の肉体《にくたい》は、天人養成《てんにんやうせい》の苗代《なはしろ》であり、学校《がくかう》であることを悟《さと》るべきである。

○

胎児《たいじ》は母体《ぼたい》の暗黒《あんこく》な胞衣《えな》の中《なか》で平和《へいわ》な生活《せいくわつ》を続《つづ》け、十ケ月《じつかげつ》の後《のち》には母体《ぼたい》を離《はな》れて現界《げんかい》へ生《う》まれ、喜怒哀楽《きどあいらく》のために生存《せいぞん》するものだといふことは知《し》らないが、しかし生《う》まるべき時《とき》が充《み》つればやはり生《う》まれなくてはならぬ如《ごと》く、人間《にんげん》もまた天国《てんごく》へ復活《ふくくわつ》すべき時《とき》が充《み》つれば、いかなる方法《はうはふ》にても死《し》といふ一《ひと》つの関門《くわんもん》を越《こ》えて、霊界《れいかい》に復活《ふくくわつ》せなくてはならぬのである。胎児《たいじ》は月充《つきみ》ちて胞衣《えな》といふ一《ひと》つの死骸《しがい》を遺《のこ》して生《う》まるるごとく、人間《にんげん》もまた肉体《にくたい》といふ死骸《しがい》を遺《のこ》して、霊界《れいかい》へ復《ふく》活即《くわつすなは》ち生《う》まるるのである。ゆゑに神《かみ》の方《はう》から見《み》れば生《い》き通《とほ》しであつて、死《し》といふことは皆無《かいむ》である。ただただ形骸《けいがい》を自己《じこ》の霊魂《れいこん》が分離《ぶんり》した時《とき》の状態《じやうたい》を死《し》と称《しよう》するのみで、要《えう》するに天人《てんにん》と生《う》まれし時《とき》の胞衣《えな》と見《み》ればよいのである。胎児《たいじ》の生《う》まるる時《とき》の苦《くる》しみあるごとく、自己《じこ》の本体《ほんたい》が肉《にく》体《たい》から分離《ぶんり》する時《とき》にも、やはり相当《さうたう》の苦《くる》しみはあるものである。しかしその間《あひだ》はきはめて短《みじか》いものである。以上《いじやう》は天国《てんごく》へ復活《ふくくわつ》する人《ひと》の死《し》の状態《じやうたい》である。

根底《ねそこ》の国《くに》へ落《お》ちて行《ゆ》く人間《にんげん》の霊魂《れいこん》は非常《ひじやう》な苦《くる》しみを受《う》けるもので、丁度人間《ちやうどにんげん》の難産《なんざん》のやうなもので、産児《さんじ》の苦痛以上《くつういじやう》である。中《なか》には死産《しさん》といつて死《し》んで生《う》まれる胎児《たいじ》のやうに、もはや浮《う》かぶ瀬《せ》がない無限苦《むげんく》の地獄《ぢごく》へ落《お》とされてしまふのである。ゆゑに人間《にんげん》は未来《みらい》の世界《せかい》のあることが判《わか》らねば、真《しん》の道義《だうぎ》を行《おこな》ふことができぬものである。神《しん》幽《いう》現三界《げんさんかい》を通《つう》じて、善悪正邪勤怠《ぜんあくせいじやきんたい》の応報《おうほう》が儼然《げんぜん》としてあるものといふことを覚《さと》らねば、人生《じんせい》の本分《ほんぶん》はどうしても尽《つ》くされないものである。

○

天国《てんごく》に住《す》める天人《てんにん》は、地上《ちじやう》を去《さ》つて天国《てんごく》へ昇《のぼ》り来《き》たるべき人間《にんげん》を非常《ひじやう》に歓迎《くわんげい》し、種々《しゆじゆ》の音楽《おんがく》などを奏《そう》して待《ま》つてゐるものである。ゆゑに天国《てんごく》を吾人《ごじん》は称《しよう》して霊魂《みたま》の故郷《こきやう》と曰《い》ふのである。真神《しんしん》即《すなは》ち主《しゆ》なる神《かみ》は、人間《にんげん》の地上《ちじやう》において善《よ》く発達《はつたつ》し完全《くわんぜん》なる天人《てんにん》となつて天国《てんごく》へ昇《のぼ》り来《き》たり、天国《てんごく》の住民《ぢうみん》となつて霊的神業《れいてきしんげふ》に参加《さんか》することを、非常《ひじやう》に歓《よろこ》び玉《たま》ふのである。天国《てんごく》の天人《てんにん》もまた、人間《にんげん》が完全《くわんぜん》な霊体《れいたい》となつて天国《てんごく》へ昇《のぼ》り来《き》たり、天人《てんにん》の仲間《なかま》になることを大変《たいへん》に歓迎《くわんげい》するものである。

たとへば、ここに養魚家《やうぎよか》があつて大池《だいち》に鯉《こひ》の児《こ》を一万尾《いちまんび》放養《はうやう》し、その鯉児《りじ》が一尾《いつぴ》も残《のこ》らず生育《せいいく》してくれるのを待《ま》つて歓《よろこ》び楽《たの》しんでゐるやうなものである。せつかく一万尾《いちまんび》も放養《はうやう》しておいた鯉《こひ》が、一定《いつてい》の年月《ねんげつ》を経《へ》て調《しら》べて見《み》ると、その鯉《こひ》の発育悪《はついくあ》しく満足《まんぞく》に発育《はついく》を遂《と》げたものが百分《ひやくぶん》の一《いち》に減《げん》じ、その他《た》は残《のこ》らず死滅《しめつ》したり、悪人《あくにん》に捕獲《ほくわく》されて養主《やうしゆ》の手《て》に返《かへ》らないとしたら、その養主《やうしゆ》の失望落胆《しつばうらくたん》は思《おも》ひやらるるであらう。しかし鯉《こひ》の養主《やうしゆ》はただ物質的《ぶつしつてき》の収益《しうえき》を計《はか》るためであるが、神《かみ》様《さま》の愛《あい》の慾望《よくばう》は、到底物質的《たうていぶつしつてき》の慾望《よくばう》に比《くら》ぶることはできない。ゆゑに人間《にんげん》はどこまでも神《かみ》を信《しん》じ神《かみ》を愛《あい》し、善《ぜん》の行為《かうゐ》を励《はげ》み、その霊魂《れいこん》なる本体《ほんたい》をして完全《くわんぜん》なる発達《はつたつ》を遂《と》げしめ、天津神《あまつかみ》の御許《みもと》へ神《かみ》の大御宝《おほみたから》として還《かへ》り得《う》るやうに努力《どりよく》せなくては、人生《じんせい》の本分《ほんぶん》を全《まつた》うすることができないのみならず、神《かみ》の最《もつと》も忌《い》みたまふ根底《ねそこ》の国《くに》へ自《みづか》ら落《お》ち行《ゆ》かねばならぬやうになつてしまふのである。

あゝ惟神霊幸倍坐世《かむながらたまちはへませ》。

大正十一年十二月

（昭和一〇・六・四　王仁校正）

六

第一天国《だいいちてんごく》たる最高最勝《さいかうさいしよう》の位置《ゐち》を占《し》めたる天国《てんごく》の天人《てんにん》の姿《すがた》は、実《じつ》に花《はな》のごとく、黄金《わうごん》のごとく、瑠璃光《るりくわう》のごとく、かつ金剛石《こんがうせき》の幾十倍《いくじふばい》とも知《し》れないやうな、肌《はだ》の色《いろ》を保《たも》つてをる天人《てんにん》ばかりである。そしてたいていは有色人種《いうしよくじんしゆ》、殊《こと》に黄色人種《くわうしよくじんしゆ》が多《おほ》く、白色人種《はくしよくじんしゆ》はその数《すう》においてよほど少《せう》数《すう》である。これを第二《だいに》、第三《だいさん》の天国《てんごく》の住民《ぢうみん》より仰《あふ》ぎ見《み》る時《とき》は、ただ単《たん》に人間《にんげん》の像《ざう》が強力《きやうりよく》なる光《くわう》輝《き》を放射《はうしや》してゐるやうで、充分《じうぶん》に見分《みわ》くることができない。

また第二《だいに》、第三《だいさん》の天国《てんごく》には白色人種《はくしよくじんしゆ》も多数《たすう》に住《す》み、有色人種《いうしよくじんしゆ》も多数《たすう》に住居《ぢうきよ》してゐる。そして白色人種《はくしよくじんしゆ》は白色人種《はくしよくじんしゆ》で団体《だんたい》を造《つく》り、ここに集合《しふがふ》し、有色人種《いうしよくじんしゆ》は比較的《ひかくてき》に少《すく》ないやうである。

また宗教《しうけう》の異同《いどう》によつて、人霊《じんれい》の到《いた》る天国《てんごく》も違《ちが》つてをる。仏教信者《ぶつけうしんじゃ》は仏教《ぶつけう》の団体《だんたい》なる天国《てんごく》へ上《のぼ》り、耶蘇教信者《やそけうしんじゃ》は耶蘇教《やそけう》の団体《だんたい》なる天国《てんごく》へ上《のぼ》り、回々教信者《ふいふいけうしんじゃ》は回々教《ふいふいけう》の団体《だんたい》なる天国《てんごく》へ上《のぼ》り、それ相応《さうおう》の歓喜《くわんき》を摂受《せつじゅ》して、天国《てんごく》の神業《しんげふ》に従事《じうじ》してゐる。また神道《しんだう》の信者《しんじゃ》は神道《しんだう》の団体《だんたい》なる天国《てんごく》に上《のぼ》り、神業《しんげふ》に従事《じうじ》してゐる。そして神道《しんだう》の中《なか》にも種々《しゅじゅ》の派《は》が分《わ》かれ、各自《かくじ》違《ちが》つた信仰《しんかう》を持《も》つてゐるものは、またそれ相当《さうたう》の団体《だんたい》にあつて活動《くわつどう》し、歓喜《くわんき》に浴《よく》して、天国《てんごく》の生涯《しやうがい》を楽《たの》しんでゐる。

○

いかなる宗教《しうけう》といへども、善《ぜん》を賞《しやう》し悪《あく》を憎《にく》まない教《をしへ》のないかぎり、いづれの宗教信者《しうけうしんじゃ》も各自《かくじ》天国《てんごく》へ上《のぼ》り得《う》る資格《しかく》はある。しかしその教《をしへ》にして充分《じうぶん》に徹底《てつてい》したものは、どうしても高《たか》き優《すぐ》れたる天国《てんごく》が開《ひら》かれてあるから、不徹底《ふてつてい》にして、霊界《れいかい》の消息《せうそく》に暗《くら》いやうな宗教《しうけう》の天国《てんごく》は実《じつ》に最下方《さいかはう》にあつて、見聞《けんぶん》の狭《せま》い人間《にんげん》のみの団体《だんたい》が造《つく》られてある。現代《げんだい》の○○教《けう》や××教《けう》などは、倫理的教《りんりてきけう》理《り》のみに堕《だ》してゐて、肝腎《かんじん》の霊界《れいかい》の消息《せうそく》を教《をし》へない、いな霊界《れいかい》の真相《しんさう》を徹底的《てつていてき》に知悉《ちしつ》してゐないから、かへつて中有界《ちううかい》に消遥《せうえう》する人間《にんげん》が多《おほ》い。

すべて天国《てんごく》の団体《だんたい》に加入《かにふ》し得《う》るものは、神《かみ》を固《かた》く信《しん》じ、篤《あつ》く愛《あい》し得《う》るものである。不信仰《ふしんかう》にして天国《てんごく》に到《いた》る者《もの》もあるが極《きは》めて少数《せうすう》である。いづれの宗教《しうけう》も信《しん》ぜず、守《まも》らず、神《かみ》の存在《そんざい》を知《し》らずして天国《てんごく》へ住《い》つたものは、大変《たいへん》にまごつき、後悔《こうくわい》し、かつ天国《てんごく》や死後《しご》の生涯《しやうがい》のありしことに驚《おどろ》くものである。また現界《げんかい》にある時《とき》、熱心《ねつしん》に宗教《しうけう》を信《しん》じ、神《かみ》を唱《とな》へながら、天国《てんごく》に上《のぼ》り得《え》ずして中有界《ちううかい》に迷《まよ》つたり、甚《はなは》だしきは地獄《ぢごく》へさへ落《お》つる人間《にんげん》もある。神仏《しんぶつ》の教導職《けうだうしよく》にして却《かへ》つて天国《てんごく》に上《のぼ》り得《え》ず、中有界《ちううかい》に迷《まよ》ひ、あるいは地獄《ぢごく》に落《お》つるものは随分《ずいぶん》にたくさんある。神仏《しんぶつ》を種《たね》にして、現界《げんかい》において表面善人《へうめんぜんにん》を装《よそほ》ひつつ、内心《ないしん》に信仰《しんかう》なく、愛《あい》なく、神仏《しんぶつ》を認《みと》めない宣教者《せんけうしや》は、死後《しご》の生涯《しやうがい》は実《じつ》に哀《あは》れなものである。また熱心《ねつしん》にしてよく神《かみ》を認《みと》め、愛《あい》と信《しん》とに全《まつた》き者《もの》は、死後天国《しごてんごく》の団体《だんたい》に加入《かにふ》し、歓喜《くわんき》を尽《つ》くしつつあるに引《ひ》き替《か》へ、肝腎《かんじん》の天国《てんごく》の案内役《あんないやく》ともいふべき宣教者《せんけうしや》が、かへつて地獄落《ちごくお》ちが多《おほ》くて天国行《てんごくゆ》きが尠《すくな》いのは、いはゆる神仏商売《しんぶつしやうばい》の人間《にんげん》が多《おほ》いゆゑである。現界《げんかい》において為《な》すべき事業《じげふ》も、また商売《しやうばい》もたくさんにあるに、それには関係《くわんけい》せず、濡手《ぬれて》で粟《あは》を掴《つか》むやうなことや、働《はたら》かずして、神仏《しんぶつ》を松魚節《かつをぶし》に使《つか》つてゐる似而非《えせ》宗教家《しうけうか》ぐらゐ、霊界《れいかい》において始末《しまつ》の悪《わる》いものはなく、かつ地獄行《ぢごくゆ》きの多《おほ》いものはない。

○

高天原《たかあまはら》における団体《だんたい》は、大《だい》なるものは十万人《じふまんにん》もあり、五万人《ごまんにん》、三万人《さんまんにん》、一万人《いちまんにん》、五千人《ごせんにん》、尠《すくな》い団体《だんたい》になると四《し》、五十人《ごじふにん》のもある。ゆゑに各自《かくじ》の団体《だんたい》の天人《てんにん》は、自分《じぶん》の団体《だんたい》の一人《ひとり》でも多《おほ》くなることを希望《きばう》してゐるから、天国《てんごく》へ上《のぼ》り来《き》たる人間《にんげん》に対《たい》して、非常《ひじやう》なる好感《かうかん》をもつて迎《むか》へる。

○

また天国《てんごく》の団体《だんたい》にある天人《てんにん》は、いづれも男子《だんし》なれば現界人《げんかいじん》の三十歳前後《さんじつさいぜんご》、女子《ぢよし》なれば二十歳前《にじつさいぜん》後《ご》の若《わか》い姿《すがた》である。この故《ゆゑ》は現界人《げんかいじん》の肉体《にくたい》は物質界《ぶつしつかい》の法則《はふそく》に由《よ》つて、年々《ねんねん》に老衰《らうすい》して頭《かしら》に白雪《はくせつ》を頂《いただ》き、身体《しんたい》に皺《しわ》の寄《よ》るものであるが、人間《にんげん》の霊魂《れいこん》や情動《じやうどう》は不老不死《ふらうふし》であつて、どこまでも変《か》はらないものだから、精霊界《せいれいかい》の天人《てんにん》は年《とし》が寄《よ》つても、姿《すがた》は変《へん》じない。

ゆゑに、現界《げんかい》において八《はち》、九十歳《くじつさい》にて死《し》んだ人間《にんげん》も、精霊界《せいれいかい》の天国《てんごく》へ復活《ふくくわつ》した後《のち》は、その強《きやう》壮《さう》な霊魂《れいこん》のままでをるのだから、決《けつ》して老衰《らうすい》するといふことはない。天人《てんにん》にも五衰《ごすい》といふ説《せつ》があるが、それは決《けつ》して天人《てんにん》のことではない、霊界《れいかい》の八衢《やちまた》に彷徨《はうくわう》してゐる中有界《ちうう かい》の人間《にんげん》のことである。ゆゑに天国《てんごく》へ往《い》つた時《とき》に、自分《じぶん》の現界《げんかい》の父母《ふぼ》や兄妹《きやうだい》、または朋友《ほういう》、知己《ちき》などに会《あ》つても、ちよつとには気《き》の付《つ》かないやうなことがたくさんにある。そのゆゑは、自分《じぶん》の幼児《えうじ》たりし子《こ》はすでに天国《てんごく》にて成長《せいちやう》し、老《お》いたる父母《ふぼ》は自分《じぶん》と同様《どうやう》に壮者《さうしや》の霊身《れいしん》を保《たも》ちてをるからである。されどよくよく見《み》る時《とき》は、どこともなしにそのおもかげが残《のこ》つてをる。精霊《せいれい》の世界《せかい》はすべてが霊的《れいてき》の要素《えうそ》から成《な》り立《た》つてをるから、現界《げんかい》の事物《じぶつ》のごとく、容易《ようい》に変遷《へんせん》するものではない。これが精霊《せいれい》界《かい》と肉体界《にくたいかい》との相違《さうゐ》せる点《てん》である。

あゝ惟神《かむながら》霊幸倍《たまちはへ》坐世《ませ》。

大正十一年十二月

七

すべての人《ひと》は死《し》して後《のち》
天国浄土《てんごくじやうど》に昇《のぼ》り行《ゆ》く
無限《むげん》の歓喜《くわんき》に浴《よく》すべき
人間特有《にんげんとくいう》の資質《ししつ》あり
これ神《かみ》ごころ大和《やまと》魂《だま》
仏者《ぶつしや》のいはゆる仏性《ぶつしやう》ぞ
そもそも人《ひと》はいろいろと
輪廻《りんね》転生《てんしやう》の門《もん》を越《こ》え
禽獣虫魚《きんじうちうぎよ》の境涯《きやうがい》を
渉《わた》りて現世《げんせ》に人間《にんげん》と
生《う》まれ来《き》たりし者《もの》もあり
高天原《たかあまはら》の天人《てんにん》が
男女情交《だんぢよじやうかう》のその結果《けつくわ》
霊子《れいし》となりて地《ち》に蒔《ま》かれ

因縁《いんねん》ふかき男子《だんし》　女子《ぢよし》
陰《いん》と陽《やう》との水火《いき》の中《なか》に
交《まじ》はり入《い》りて生《う》まるあり
人《ひと》の霊魂《みたま》は至精至微《しせいしび》
過去《くわこ》と現在《げんざい》　未来《みらい》との
区別《くべつ》も知《し》らず生《い》き通《とほ》し
幾万劫《いくまんごふ》の昔《むかし》より
生死《せいし》の途《みち》を往来《わうらい》し
善果《ぜんくわ》を積《つ》みて人間《にんげん》と
漸《やうや》く生《う》まれたる上《うへ》は
いかでか高天《たかま》の天国《てんごく》へ
昇《のぼ》り得《え》られぬ事《こと》やある
あゝ惟神《かむながら》　惟神《かむながら》
神《かみ》の仁慈《じんじ》ぞ有難《ありがた》き。

○

神《かみ》の御子《みこ》たる人《ひと》の身《み》は
善悪正邪《ぜんあくせいじや》に拘《かかは》らず
高天原《たかあまはら》の天国《てんごく》へ
上《のぼ》りて諸《もも》の歓楽《くわんらく》を

味《あぢ》はひ得《う》べき萌芽《はうが》あり
これを称《しよう》して神性《しんしやう》といふ
たまたま根底《ねそこ》の暗界《あんかい》へ
墜《お》ちて苦《くる》しむ者《もの》あるは
体主霊従《たいしゆれいじう》　利己主義《りこしゆぎ》や
我性我執《がしやうがしふ》の妖雲《えううん》に
おほはれ自《みづか》ら身《み》を破《やぶ》り
みづから地獄《ぢごく》の因《いん》を蒔《ま》き
みづから苦悶《くもん》の深淵《しんえん》に
沈《しづ》み溺《おぼ》るる魂《たま》のみぞ
さは然《さ》りながら天地《あめつち》を
造《つく》り玉《たま》ひし主《す》の神《かみ》は
至仁至愛《しじんしあい》に坐《ましま》せば
極悪無道《ごくあくぶだう》の人間《にんげん》も
容易《ようい》に悪《にく》ませ給《たま》ふなく
天国浄土《てんごくじやうど》に救《すく》はむと
天《てん》の使《つかひ》を地《ち》に降《くだ》し
神《かみ》の尊《たふと》き御教《みをしへ》を
うまらにつばらに隈《くま》もなく
開《ひら》かせたまひて世《よ》の人《ひと》を

導《みちび》き給《たま》ふぞありがたき。

○

神《かみ》の御眼《みめ》より見給《みたま》へば聖人君子《せいじんくんし》も小人《せうじん》も
智者《ちしや》と愚者《ぐしや》との区別《くべつ》なく一切平等《いつさいびやうどう》に映《えい》じ給《たま》ふ
これぞ仁愛《みろく》のこころなり実相真如《じつさうしんによ》の太陽《たいやう》は
生死《せいし》の長夜《ちやうや》を照却《せうきやく》し本有常住《ほんうじやうぢう》の月神《げつしん》は
煩悩《ぼんなう》の迷雲破却《めいうんはきやく》なし現世《げんせ》の人《ひと》は昔《むかし》より
ためしもあらぬ聖代《せいだい》にいとも尊《たふと》く生《う》まれ遇《あ》ひ
仁慈《じんじ》の教《をしへ》を蒙《かうむ》りて心《こころ》の暗《やみ》を押《お》し開《ひら》き
天国浄土《てんごくじやうど》の手引《てびき》をば開示《かいじ》されたる尊《たふと》さは

渡《わた》りに舟《ふね》を得《え》しごとく　金剛不壊《こんがうふゑ》の如意宝珠《によいほつしゆ》
双手《もろて》に受《う》けしその如《ごと》く　暗夜《あんや》に炬火《きよくわ》を得《え》し如《ごと》し
あゝ惟神《かむながら》　惟神《かむながら》　神《かみ》の仁慈《じんじ》の限《かぎ》りなく
窮極《きうきよく》なきに咽《むせ》びつつ　感謝《かんしや》の波《なみ》に漂《ただよ》ひぬ
そもそも人《ひと》の心霊《しんれい》は　幸福以外《かうふくいぐわい》の物々《ぶつぶつ》に
対《たい》して一切無《いつさいむ》感覚《かんかく》　なるべく造《つく》られをるものぞ
ゆゑに諸人《しよじん》の心霊《しんれい》は　無限《むげん》の歓喜《くわんき》を永遠《えいゑん》に
享《う》けむがために存在《そんざい》す　人《ひと》の心霊《しんれい》の歓喜《くわんき》とは
一々知《いちいちち》悉《しつ》し理解《りかい》する　ことに由《よ》りての歓喜《くわんき》なり
この世《よ》に生《う》まれて何事《なにごと》も　知悉《ちしつ》し得《え》られず理解《りかい》せず

暗黒無明《あんこくむみやう》の生涯《しやうがい》を　送《おく》るものほど悲《かな》しみの
深《ふか》きものこそなかるべし　第一死後《だいいちしご》の生涯《しやうがい》に
対《たい》して無知識《むちしき》なることは　悲哀《ひあい》の中《なか》の悲哀《ひあい》なり
あゝ惟神《かむながら》　惟神《かむながら》　御霊幸《みたまさちは》へましませよ。

大正十一年十二月

（昭和一〇・六・五　王仁校正）

八

現界《げんかい》の人間《にんげん》が人生第一《じんせいだいいち》の関門《くわんもん》なる死《し》といふ手続《てつづ》きを終《を》はつて、神霊界《しんれいかい》に突入《とつにふ》するに際《さい》しては決《けつ》して一様《いちやう》でない。極善《ごくぜん》の人間《にんげん》にして死後《しご》ただちに天国《てんごく》に上《のぼ》りゆく時《とき》は、嚠喨《りうりやう》たる音楽《おんがく》や、名状《めいじやう》することのできぬやうな芳香《はうかう》に包《つつ》まれ、容色端麗《ようしよくたんれい》なる天人《てんにん》の群《むれ》や、生前《せいぜん》においてかつて死去《しきよ》したる朋友《ほういう》、知己《ちき》、親《おや》、兄妹《きやうだい》らの天人《てんにん》となりたる人々《ひとびと》に迎《むか》へられ、際限《さいげん》なき美《うるは》しき空中《くうちう》を飛翔《ひしやう》して、荘厳《さうごん》なる天国《てんごく》へすぐさま上《のぼ》り行《ゆ》くもあり、また四面青山《しめんせいざん》に包《つつ》まれたる若草《わかくさ》の広大《くわうだい》なる原《げん》野《や》を、きはめて平静《へいせい》に進《すす》み行《ゆ》くものもあり、また死後《しご》たちまち五色《ごしき》の光彩《くわうさい》を放射《はうしや》せる瑞雲《ずいうん》に身《しん》辺《べん》を包《つつ》まれて上天《しやうてん》するのもある。その時《とき》の気分《きぶん》といふものは何《なん》とも言語《げんご》に尽《つ》くせないやうな、平和《へいわ》と閑寂《かんじやく》と歓喜《くわんき》とに充《み》ち、幸福《かうふく》の極点《きよくてん》に達《たつ》したるの感覚《かんかく》を摂受《せつじゆ》するものである。あまりの嬉《うれ》しさに、現界《げんかい》に遺《のこ》しておいた親《おや》、兄弟《きやうだい》、姉妹《しまい》や朋友知己《ほういうちき》、その他物質的《たぶつしつてき》の慾望《よくばう》を全然忘却《ぜんぜんばうきやく》するに至《いた》るものである。万一上天《まんいちしやうてん》の途中《とちう》において地上《ちじやう》の世界《せかい》のことを思《おも》ひ出《だ》し、種々《しゆじゆ》の執着心《しふちやくしん》が萌《はう》芽《が》した時《とき》は、その霊身《れいしん》たちまち混濁《こんだく》し、体量《たいりやう》にはかに重《おも》くなり、再《ふたた》び地上《ちじやう》に墜落《ついらく》せむとするにいたる。迎《むか》へに来《き》たりし天人《てんにん》は、新来《しんらい》の上天者《しやうてんしや》が地上《ちじやう》に心《こころ》を遺《のこ》し、失墜《しつつい》せざるやうにと焦慮《せうりよ》して、種々《しゆじゆ》の音楽《おんがく》を奏《そう》したり、芳香《はうかう》を薫《くん》じたり、美《うるは》しきものを眼《め》に見《み》せたりなどして、可及的現界《かきふてきげんかい》追慕《ついぼ》の念慮《ねんりよ》を失《うしな》はしめむと努力《どりよく》するものである。山河草木《さんかさうもく》、水流《すいりう》、光線等《くわうせんとう》もまた地上《ちじやう》の世界《せかい》に比《くら》ぶれば、実《じつ》に幾倍《いくばい》の清《きよ》さ美《うるは》しさである。しかしかういふ死者《ししや》の霊身《れいしん》は、すべて地上《ちじやう》における人《にん》間《げん》としての最善《さいぜん》を竭《つく》し、克《よ》く神《かみ》を信《しん》じ、神《かみ》を愛《あい》し、天下公共《てんかこうきよう》のために善事《ぜんじ》を励《はげ》みたる人々《ひとびと》の境《きやう》遇《ぐう》である。

○

すべて人間《にんげん》の心霊《しんれい》は肉体《にくたい》の亡《ほろ》びたる後《のち》といへども、人間《にんげん》の本体《ほんたい》なる自己《じこ》の感覚《かんかく》や意念《いねん》は、引続《ひきつづ》き生存《せいぞん》するものである。ゆゑに天上《てんじやう》に復活《ふくくわつ》したる人《ひと》の霊身《れいしん》は、あたかも肉体《にくたい》を去《さ》つた当時《たうじ》と同《おな》じ精神状態《せいしんじやうたい》で、霊界《れいかい》の生活《せいくわつ》を営《いとな》むものである。いつたん天国《てんごく》へ上《のぼ》り、天人《てんにん》の群《むれ》に入《はひ》つて天国《てんごく》の住民《ぢうみん》となつたものは、容易《ようい》に現界《げんかい》へ帰《かへ》つて来《き》て肉体《にくたい》を具《そな》へた友人《いうじん》や、親戚《しんせき》や、知己《ちき》たちと交通《かうつう》することは難《むつ》かしい。しかしながら一種《いつしゆ》の霊力《れいりよく》を具《そな》へて、精霊《せいれい》の発達《はつたつ》したる霊媒者《れいばいしや》があれば、その霊媒《れいばい》の仲介《ちうかい》を経《へ》て交通《かうつう》することができるものである。その霊媒者《れいばいしや》は概《がい》して女子《ぢよし》が適《てき》してゐる。女子《ぢよし》は男子《だんし》に比《ひ》して感覚《かんかく》が強《つよ》く、神経鋭敏《しんけいえいびん》で知覚《ちかく》や感情《かんじやう》が微細《びさい》だからである。また霊媒力《れいばいりよく》の発《はつ》達《たつ》した人《ひと》のをる審神場《さにはば》では、霊身《れいしん》は時《とき》に現界人《げんかいじん》の眼《め》に入《い》るやうな形体《けいたい》を現《あら》はし、その姿《すがた》が何人《なんびと》にも見《み》えるのである。その霊身《れいしん》に対《たい》して現界人《げんかいじん》が接触《せつしよく》すれば、感覚《かんかく》があり、動《うご》いたり、談話《だんわ》を交《まじ》ふることができるのである。されど天国《てんごく》に入《い》つて天人《てんにん》と生《う》まれ代《か》はりたる霊身《れいしん》は、自分《じぶん》の方《はう》から望《のぞ》んで現界人《げんかいじん》と交通《かうつう》を保《たも》たむと希望《きばう》するものはない。現界人《げんかいじん》の切《せつ》なる願《ねが》ひによつて、霊媒《れいばい》の仲《ちう》介《かい》をもつて交通《かうつう》をなすまでである。

さりながら中有《ちうう》界《かい》にある霊身《れいしん》は、時《とき》によつて現界《げんかい》に生存《せいぞん》せる親戚《しんせき》や、朋友《ほういう》らと交通《かうつう》を保《たも》たむと欲《ほつ》し、相当《さうたう》の霊媒《れいばい》の現《あら》はるることを希望《きばう》するものである。それは自己《じこ》の苦痛《くつう》を訴《うつた》へたり、あるいは霊祭《れいさい》を請求《せいきう》せむがためである。また執着心《しふちやくしん》の深《ふか》い霊身《れいしん》になると、現界《げんかい》に住《す》める父母《ふぼ》や兄弟《きやうだい》、姉妹《しまい》や遺産《ゐさん》などに対《たい》して、自分《じぶん》の思惑《おもわく》を述《の》べようとするものである。かかる霊身《れいしん》は現世《げんせ》に執着《しふちやく》心《しん》を遺《のこ》してゐるから、いつまでも天国《てんごく》へは上《のぼ》り得《え》ずして、大変《たいへん》な苦悩《くなう》を感受《かんじゆ》するものである。

○

霊界《れいかい》の消息《せうそく》、死後《しご》の生涯《しやうがい》を述《の》ぶるをもつて、荒唐無稽《くわうたうむけい》として死後《しご》の生涯《しやうがい》を否定《ひてい》する人々《ひとびと》は、もはや懐疑者《くわいぎしや》ではなく、むしろ無知識《むちしき》の甚《はなは》だしきものである。かくのごとき人々《ひとびと》に対《たい》して霊界《れいかい》の真相《しんさう》を伝《つた》へ、神智《しんち》を開発《かいはつ》せしむるといふことは到底絶望《たうていぜつばう》である。

○

人間《にんげん》の肉体《にくたい》の死《し》なるものは、決《けつ》して滅亡《めつばう》でも、死去《しきよ》でもない。ただ人間《にんげん》が永遠《えいゑん》に亘《わた》る進歩《しんぽ》の一《いち》階段《かいだん》に過《す》ぎないのである。ただ人間《にんげん》の所在《しよざい》と立脚地《りつきやくち》とを変更《へんかう》したまでである。意念《いねん》も愛情《あいじやう》も記《き》憶《おく》も、みな個性《こせい》の各部分《かくぶぶん》であつて、不変不動《ふへんふどう》のままに残《のこ》るものである。死後《しご》における生活状態《せいくわつじやうたい》は、現界《げんかい》にありし時《とき》より引《ひ》き続《つづ》いて秩序的《ちつじよてき》に、各人《かくじん》がそれ相応《さうおう》の地位《ちゐ》の天国《てんごく》の団体《だんたい》の生活《せいくわつ》を営《いとな》むものである。

○

また卑賤無智《ひせんむち》にして世道人情《せだうにんじやう》を弁《わきま》へなかつた悪人《あくにん》は、光明《くわうみやう》と愛《あい》と自由《じいう》のない地獄《ぢごく》に落《お》ちて苦《くる》しむものである。生前《せいぜん》すでに不和欠陥《ふわけつかん》、暗黒苦痛《あんこくくつう》の地獄《ぢごく》に陥《おちい》つた人間《にんげん》は、現界《げんかい》にある間《あひだ》に悔《く》い改《あらた》め、神《かみ》を信《しん》じ、神《かみ》を愛《あい》し、利己心《りこしん》を去《さ》り、神《かみ》に対《たい》しての無智《むち》と頑迷《ぐわんめい》を除《のぞ》き去《さ》らなければ、決《けつ》して死後安全《しごあんぜん》の生活《せいくわつ》はできない。現世《げんせ》より既《すで》に已《すで》に暗黒《あんこく》なる地獄《ぢごく》の団体《だんたい》に加入《かにふ》してゐるものは、現界《げんかい》においても常《つね》に不安無明《ふあんむみやう》の生活《せいくわつ》を続《つづ》けて苦《くる》しんでゐるものである。一時《いちじ》も早《はや》く神《かみ》の光《くわう》明《みやう》に頑迷《ぐわんめい》なる心《こころ》の眼《まなこ》を開《ひら》き、天国《てんごく》の団体《だんたい》へ籍替《せきが》へをなすことに努《つと》めなければならぬのである。

大正十一年十二月

九

現実世界《げんじつせかい》を後《あと》にして
地上《ちじやう》の世界《せかい》と同様《どうやう》に
しかして諸《もも》の天人《てんにん》は
愛《あい》の善徳具《ぜんとくそな》へたる
しかして東方《とうはう》は明瞭《めいれう》に
おぼろにこれを感《かん》ずなり
具《そな》へて住《す》むは南北位《なんぼくゐ》

天上世界《てんじやうせかい》に往《ゆ》き見《み》れば
東西南北《とうざいなんぼく》の方位《はうゐ》あり
おのおの住所《ぢうしよ》に異同《いどう》あり
天人住《てんにんす》めるは東西位《とうざいゐ》
これをば感《かん》じ西方《せいはう》は
愛《あい》の徳《とく》より証覚《しようかく》を
しかして南方《なんぱう》は明瞭《めいれう》に

証覚光《しようかくくわう》を具《そな》へたる
また北方《ほくぱう》はおぼろげに
天人《てんにん》のみぞこれに住《す》む
在《あ》る天人《てんにん》と天国《てんごく》に
これの順序《じゆんじよ》を守《まも》れども
この徳《とく》により真光《しんくわう》に
天《てん》の御国《みくに》における愛《あい》は
これより来《き》たる真光《しんくわう》は
霊国所在《れいごくしよざい》の真愛《しんあい》は
これをば仁愛《みろく》と称《とな》ふなり

天人《てんにん》ばかりこれに住《す》み
証覚光《しようかくくわう》を具《そな》へたる
主神《すしん》のいます霊国《れいごく》に
在《あ》る天人《てんにん》とみな共《とも》に
主《す》の霊国《れいごく》は愛《あい》の徳《とく》
従《したが》ふものと相異《さうい》あり
主神《すしん》に対《たい》する愛《あい》にして
即《すなは》ち無上《むじやう》の証覚《しようかく》ぞ
公共《こうきよう》に対《たい》する愛《あい》にして
仁愛《みろく》の真《しん》の光明《くわうみやう》は

神《かみ》に基《もと》づく智慧《ちゑ》ぞかし　これの智慧《ちゑ》をば信《しん》といふ。

○

主神《すしん》の統轄《とうかつ》なし給《たま》ふ　高天原《たかあまはら》の天界《てんかい》は
全《まつた》く二《ふた》つに分《わ》かれあり　主神《すしん》の坐《ましま》す天界《てんかい》を
称《しよう》して霊《れい》の国《くに》と謂《い》ひ　天人《てんにん》たちの住居《ぢうきよ》せる
世界《せかい》は即《すなは》ち天国《てんごく》ぞ　霊《れい》の御国《みくに》と天国《てんごく》を
構成《こうせい》したる諸々《もろもろ》の　天《てん》の世界《せかい》の方向《はうかう》は
決《けつ》して同《おな》じきものならず　そも天国《てんごく》の天人《てんにん》は
主神《すしん》を太陽《たいやう》とうち仰《あふ》ぎ　霊《れい》の御国《みくに》に住《す》むものは
主神《すしん》を月《つき》とうち仰《あふ》ぐ　しかして主神《すしん》の顕現《けんげん》し

給《たま》ふところは東《ひがし》なり
真神《しんしん》即《すなは》ち主《す》の神《かみ》は
天国《てんごく》にては太陽《たいやう》と
顕《あら》はれ給《たま》ひ霊国《れいごく》に
ありては月《つき》と顕《あ》れ給《たま》ふ
かくも二《に》種《しゅ》の御姿《みすがた》に
顕《あら》はれ給《たま》ふは何故《なにゆゑ》ぞ
愛《あい》と信《しん》とを摂受《せつじゅ》する
度合《どあひ》の異《こと》なる為《ため》ぞかし
愛《あい》の善徳《ぜんとく》は火《ひ》に応《おう》じ
信《しん》は光明《くわうみやう》に相応《あひおう》ず
これ霊国《れいごく》と天国《てんごく》の
二《ふた》つに分《わ》かるる所以《ゆゑん》なり。

○

高天原《たかあまはら》の天界《てんかい》に
住《す》む天人《てんにん》の眼《まなこ》より
見《み》る太陽《たいやう》は天界《てんかい》の
太陽《たいやう》に比《ひ》していと暗《くら》し

また太陰《たいいん》も同様《どうやう》に
天界《てんかい》の月《つき》に比《くら》ぶれば
最《もつと》も暗《くら》く見《み》ゆるなり
その理《り》いかんといふならば
地上《ちじやう》における太陽《たいやう》の
火熱《くわねつ》は自愛《じあい》に相応《さうおう》し
その光明《くわうみやう》は自愛《じあい》より
招《まね》ける虚偽《きよぎ》に相応《さうおう》す
そもそも自愛《じあい》は主《す》の神《かみ》の
愛《あい》と全《まつた》く相反《あひはん》し
自愛《じあい》よりするその虚偽《きよぎ》は
主神《すしん》の有《いう》する神真《しんしん》と
正反対《せいはんたい》となればなり
かくして主神《すしん》の具《そな》へたる
神愛神真《しんあいしんしん》そのものに
逆《さか》らふものは天人《てんにん》の
眼《まなこ》に暗《くら》く映《うつ》るなり
高天原《たかあまはら》の天国《てんごく》に
ある天人《てんにん》は主《す》の神《かみ》を
太陽《たいやう》のごとくうち仰《あふ》ぎ

霊国在住《れいごくざいぢう》の天人《てんにん》は　月《つき》のごとくに仰《あふ》ぐなり。

○

地獄《ぢごく》の世界《せかい》に在《あ》るものは　自己《じこ》と世界《せかい》をのみ愛《あい》し
神《かみ》に逆《さか》らふそのために　暗黒溟濛《あんこくめいもう》の裡《うち》にをり
全《まった》く神《かみ》に相背《あひそむ》き　主神《すしん》を後方《しりへ》に捨《す》てておく
これらを鬼霊精霊《きれいせいれい》と　称《とな》へて地獄《ぢごく》の鬼《おに》となす
あゝ惟神《かむながら》　惟神《かむながら》　神《かみ》の世界《せかい》の奇《くし》びなる。

大正十一年十二月

一〇

高天原《たかあまはら》の天界《てんかい》には、地上《ちじやう》の世界《せかい》と同様《どうやう》に住所《ぢうしよ》や家屋《かをく》があつて、天人《てんにん》が生活《せいくわつ》してゐることは、地上《ちじやう》の世界《せかい》における人間《にんげん》の生活《せいくわつ》と相似《あひに》てゐるのである。かくいふ時《とき》は、現界人《げんかいじん》は一《ひと》つの空想《くうさう》として一笑《いつせう》に付《ふ》し顧《かへり》みないであらう。それもあながち無理《むり》ではないと思《おも》ふ。一度《いちど》も見《み》たこともなく、また天人《てんにん》なるものは人間《にんげん》だといふことを知《し》らぬゆゑである。また天人《てんにん》の住所《ぢうしよ》なるものは、地球現界人《ちきうげんかいじん》の見《み》る天空《てんくう》だと思《おも》ふから信《しん》じないのである。打《う》ち見《み》るところ天空《てんくう》なるものは冲虚《ちうきよ》なるが上《うへ》に、その天人《てんにん》といふものもまた一種《いつしゆ》の気体《きたい》的形体《てきけいたい》に過《す》ぎないものと思《おも》ふからである。ゆゑに地《ち》の世界《せかい》の人間《にんげん》は、霊界《れいかい》の事物《じぶつ》にもまた自然界同様《しぜんかいどうやう》であるといふことを会得《ゑとく》することができぬからである。

現実界《げんじつかい》即《すなは》ち自然界《しぜんかい》の人間《にんげん》は、霊的《れいてき》の何物《なにもの》たるかを知《し》らないから疑《うたが》ふのである。地上《ちじやう》の現界《げんかい》を霊界《れいかい》の移写《いしや》だといふことを自覚《じかく》せないから、天人《てんにん》といへば天《あま》の羽衣《はごろも》を着《き》て、空中《くうちう》を自由自在《じいうじざい》に飛翔《ひしやう》するものと思《おも》つてゐるのは人間《にんげん》の不覚《ふかく》である。天人《てんにん》はこれらの人間《にんげん》を癲狂者《てんきやうしや》といつて笑《わら》ふのである。

○

天人《てんにん》の生活《せいくわつ》状態《じやうたい》にもおのおの不同《ふどう》があつて、威厳《ゐげん》の高《たか》きものの住所《ぢうしよ》は崇高《すうかう》なものである。またそれに次《つ》ぐものはそれ相応《さうおう》の住所《ぢうしよ》がある。ゆゑに天人《てんにん》にも現界人《げんかいじん》のごとく名位《めいゐ》寿福《じゆふく》の願《ねが》ひを持《も》つてゐて、進歩《しんぽ》もあり向上《かうじやう》もあるので、決《けつ》して一定不変《いつていふへん》の境遇《きやうぐう》にゐるものではない。愛《あい》と信《しん》との善徳《ぜんとく》の進《すす》むに従《したが》つてますます荘厳《さうごん》の天国《てんごく》に到《いた》り、または立派《りつぱ》なる地所《ちしよ》や家屋《かをく》に住《す》み、立派《りつぱ》なる光輝《くわうき》ある衣服《いふく》を着《ちやく》し得《う》るものである。いづれも霊的生活《れいてきせいくわつ》であるから、その徳《とく》に応《おう》じて主神《すしん》より与《あた》へらるるものである。すべての疑惑《ぎわく》を捨《す》てて天国《てんごく》の生活《せいくわつ》を信《しん》じ死後《しご》の状態《じやうたい》を会得《ゑとく》する時《とき》は、自然《しぜん》に崇高偉大《すうかうゐだい》なる事物《じぶつ》を見《み》るべく、大歓喜《だいくわんき》を摂受《せつじゆ》し得《う》るものである。

○

天人《てんにん》の住宅《ぢうたく》は、地上《ちじやう》の世界《せかい》の家屋《かをく》と何等《なんら》の変《か》はりもない。ただその美《うつく》しさがはるかに優《まさ》つてゐるのみである。その家屋《かをく》には地上《ちじやう》の家屋《かをく》のごとく奥《おく》の間《ま》もあり、寝室《しんしつ》もあり、部屋《へや》もあり、門《もん》もあり、中庭《なかには》もあり、築山《つきやま》もあり、花園《はなぞの》もあり、樹木《じゆもく》もあり、山林田畑《さんりんでんばた》もあり、泉水《せんすい》もあり、井戸《ゐど》もあつて、住家櫛比《ぢうかしつぴ》し都会《とくわい》のごとくに列《なら》んでゐる。また坦々《たんたん》たる大道《だいだう》もあり、細道《ほそみち》もあり、四辻《よつつじ》もあること、地上《ちじやう》の市街《しがい》と同一《どういつ》である。

○

天界《てんかい》にもまた士《し》農工商《のうこうしやう》の区別《くべつ》あり。されど現界人《げんかいじん》のごとく私利私慾《しりしよく》に溺《おぼ》れず、ただその天職《てんしよく》を歓喜《くわんき》して、天国《てんごく》のために各自《かくじ》の能力《のうりよく》を発揮《はつき》して公共的《こうきようてき》に尽《つ》くすのみである。天国《てんごく》における士《し》は決《けつ》して軍人《ぐんじん》にあらず、誠《まこと》の道即《みちすなは》ち善《ぜん》と愛《あい》と信《しん》とを天人《てんにん》に対《たい》して教《をし》ふる宣伝使《せんでんし》のことである。地上《ちじやう》において立派《りつぱ》なる宣伝使《せんでんし》となり、その本分《ほんぶん》を尽《つ》くし得《え》たる善徳者《ぜんとくしや》は、天国《てんごく》に住《す》みても依然《いぜん》として宣伝使《せんでんし》の職《しよく》にあるものである。人間《にんげん》はどこまでも意志《いし》や感情《かんじやう》や、または所主《しよしゆ》の事業《じげふ》を死《し》後《ご》の世界《せかい》まで継承《けいしよう》するものである。また天国霊国《てんごくれいごく》にも、貧富高下《ひんぷかうげ》の区別《くべつ》がある。天国《てんごく》にて富《と》めるものは、地上《ちじやう》の世界《せかい》においてその富《とみ》を善用《ぜんよう》し、神《かみ》を信《しん》じ神《かみ》を愛《あい》するために金銀財宝《きんぎんざいほう》を活用《くわつよう》したる者《もの》は、天国《てんごく》においては最《もつと》も勝《すぐ》れたる富者《ふうしや》であり、公共《こうきよう》のため世人《せじん》を救《すく》ふために財《ざい》を善用《ぜんよう》したるものは、中位《ちうゐ》の富者《ふうしや》となつてゐる。また現界《げんかい》においてその富《とみ》を悪用《あくよう》し、私心私慾《ししんしよく》のために費《つひや》し、または蓄積《ちくせき》して飽《あ》くことを知《し》らなかつた者《もの》は、その富《とみ》たちまち変《へん》じて臭穢《しうゑ》となり、窮乏《きうばふ》となり、暗雲《あんうん》となりて霊界《れいかい》の極貧者《ごくひんしや》と成《な》り下《さ》がり、たいていは地獄《ぢごく》に堕《だ》するものである。また死後《しご》の世界《せかい》において歓喜《くわんき》の生涯《しやうがい》を営《いとな》まむと思《おも》ふ者《もの》は、現世《げんせ》において神《かみ》を理解《りかい》し、神《かみ》を愛《あい》し神《かみ》を信《しん》じ、歓喜《くわんき》の生涯《しやうがい》を生前《せいぜん》より営《いとな》みてゐなければならぬのである。死後天国《しごてんこく》に上《のぼ》り地獄《ぢごく》の苦《く》を免《まぬ》がれむとして、現世的事業《げんせてきじげふ》を捨《す》てて山林《さんりん》に隠遁《いんとん》して世事《せじ》を避《さ》け、霊的生活《れいてきせいくわつ》を続《つづ》けむとしたる者《もの》の天国《てんごく》に在《あ》るものは、やつぱり生前《せいぜん》と同様《どうやう》に孤独不遇《こどくふぐう》の生涯《しやうがい》を送《おく》るものである。ゆゑに人《ひと》は、天国《てんごく》に安全《あんぜん》なる生活《せいくわつ》を営《いとな》まむと望《のぞ》まば、生前《せいぜん》において各自《かくじ》の業《げふ》を励《はげ》み、最善《さいぜん》の努力《どりよく》を尽《つ》くさねば、死《し》後《ご》の安逸《あんいつ》な生活《せいくわつ》は到底為《たうていな》し得《う》ることはできないのである。士《し》は士《し》としての業務《げふむ》を正《ただ》しく竭《つく》し、農工商《のうこうしやう》ともに正《ただ》しき最善《さいぜん》を尽《つ》くして、神《かみ》を理解《りかい》し知悉《ちしつ》し、これを愛《あい》しこれを信《しん》じ、善徳《ぜんとく》を積《つ》みておかねばならぬ。また宣伝使《せんでんし》は宣伝使《せんでんし》としての本分《ほんぶん》を尽《つ》くせばそれでよいのである。世間心《せけんごころ》を起《お》こして、農工商《のうこうしやう》に従事《じうじ》するごときは宣伝使《せんでんし》の聖職《せいしよく》を冒涜《ばうとく》し、一《いち》も取《と》らず、二《に》も取《と》らず、死《し》後《ご》中有界《ちううかい》に彷徨《はうくわう》するごとき失態《しつたい》を招《まね》くものである。ゆゑに神《かみ》の宣伝使《せんでんし》たるものは、どこまでも神《かみ》の道《みち》を舎身的《しやしんてき》に宣伝《せんでん》し、天下《てんか》の万民《ばんみん》を愛《あい》と信《しん》とに導《みちび》き、天国《てんごく》、霊国《れいごく》の状態《じやうたい》を知悉《ちしつ》せしめ、理《り》解《かい》せしめ、世人《せじん》に歓喜《くわんき》の光明《くわうみやう》を与《あた》ふることに努力《どりよく》せなくてはならぬのである。天界《てんかい》にまします主《す》の神《かみ》は仁愛《みろく》の天使《てんし》を世《よ》に降《くだ》し、地上《ちじやう》の民《たみ》を教化《けうくわ》せしむべく月《つき》の光《ひかり》を地上《ちじやう》に投《とう》じ給《たま》うた。宣伝《せんでん》使《し》たるものは、この月光《げつくわう》を力《ちから》として自己《じこ》の霊魂《れいこん》と心性《しんせい》を研《みが》き、神《かみ》を理解《りかい》し知悉《ちしつ》し、愛《あい》と信《しん》とを感受《かんじゆ》し、これを万民《ばんみん》に伝《つた》ふべきものである。主一無適《しゆいつむてき》の信仰《しんかう》は、宣伝使《せんでんし》たるものの第一要素《だいいちえうそ》であることを忘《わす》れてはならぬ。天界《てんかい》、地上《ちじやう》の区別《くべつ》なく神《かみ》の道《みち》に仕《つか》ふる身魂《みたま》ほど、歓喜《くわんき》を味《あぢ》はふ幸福者《かうふくしや》はないのである。

あゝ惟神《かむながら》霊幸倍坐世《たまちはへませ》。

大正十一年十二月

一一

天界《てんかい》即《すなは》ち神界《しんかい》高天原《たかあまはら》にも、また地上《ちじやう》のごとく宮殿《きうでん》や堂宇《だうう》があつて、神《かみ》を礼拝《らいはい》し神事《しんじ》を行《おこな》つてゐるのである。その説教《せつけう》または講義《かうぎ》等《とう》に従事《じうじ》するものは、もちろん天界《てんかい》の宣伝使《せんでんし》である。天人《てんにん》は常《つね》に愛《あい》と証覚《しようかく》の上《うへ》において、ますます円満具足《ゑんまんぐそく》ならむことを求《もと》めて、霊身《れいしん》の餌《ゑ》となすからである。天人《てんにん》に智性《ちせい》や意性《いせい》のあることは、なほ地上現界《ちじやうげんかい》の人間同様《にんげんどうよう》である。天人《てんにん》は天界《てんかい》の殿堂《でんだう》や説教所《せつけうしよ》に集合《しふがふ》して、その智的《ちてき》または意的福音《いてきふくいん》を聴聞《ちやうもん》し、ともにますます円満《ゑんまん》ならむことを望《のぞ》むものであつて、智性《ちせい》は智慧《ちゑ》に属《ぞく》する諸《もも》の真理《しんり》により、意性《いせい》は愛《あい》に属《ぞく》する諸《もも》の善《ぜん》によつて、常《つね》に円満具足《ゑんまんぐそく》の境域《きやうゐき》に進《すす》みて止《や》まぬものである。

○

天界《てんかい》の説法《せつぽふ》は、天人各自《てんにんかくじ》が処世上《しよせいじやう》の事項《じかう》について、教訓《けうくん》を垂《た》るるに止《とど》まつてゐる。要《えう》するに愛《あい》と仁《じん》と信《しん》とを完全《くわんぜん》に体現《たいげん》せる生涯《しやうがい》を営《いとな》まむがために説示《せつじ》し、聴聞《ちやうもん》するのである。説法者《せつぽふしや》は高壇《かうだん》の中央《ちうあう》に立《た》ち、その面前《めんぜん》には証覚《しようかく》の光明《くわうみやう》勝《すぐ》れたるもの座《ざ》を占《し》め、聴聞者《ちやうもんしや》は宣伝使《せんでんし》の視線《しせん》をそれぬやうに円形《ゑんけい》の座《ざ》を造《つく》つてゐる。その殿堂《でんだう》や説教所《せつけうしよ》は天国《てんごく》にあつては木造《もくざう》のごとく見《み》え、霊国《れいごく》にあつては石造《せきざう》のごとくに見《み》えてゐる。石《いし》は真《しん》に相応《さうおう》し、木《き》は善《ぜん》に相応《さうおう》してゐるからである。また天国《てんごく》の至聖場《しせいぢやう》はこれを殿堂《でんだう》とも説教所《せつけうしよ》とも言《い》はず、ただ単《たん》に神《かみ》の家《いへ》と称《とな》へてゐる。そしてその建築《けんちく》はあまり崇大《すうだい》なものではない。されど霊国《れいごく》のものは多少《たせう》の崇大《すうだい》なところがある。

○

天国浄土《てんごくじやうど》の天人《てんにん》を　教導《けうだう》すべき宣伝使《せんでんし》

一名神《いちめいかみ》の使者《ししゃ》といふ
霊《れい》の国《くに》より来《き》たるなり
そも霊国《れいごく》の天人《てんにん》は
真理《しんり》に透徹《とうてつ》すればなり
愛《あい》の徳《とく》にて真《しん》を得《え》て
試《こころ》むること敢《あ》へてなし
己《おのれ》がすでに知《し》り得《え》たる
体得《たいとく》せむと思《おも》へばなり
真理《しんり》を覚《さと》り円満《えんまん》に
ひとたび 真《まこと》を聴《き》く時《とき》は

宣伝神使《せんでんしんし》は何人《なにびと》も
天国人《てんごくじん》の任《にん》ならず
善《ぜん》より来《き》たり真《しん》にをり
天国浄土《てんごくじゃうど》に住《す》むものは
知覚《ちかく》するのみ言説《げんせつ》を
かれ天国《てんごく》の天人《てんにん》は
ところをますます明白《めいはく》に
またその未《いま》だ知《し》らざりし
認識《にんしき》せむと努《つと》めゆく
すぐさまこれを認識《にんしき》し

つづいてこれを知《し》り覚《さと》る　真《まこと》を愛《あい》して措《お》かざるは
その生涯《しやうがい》に活用《くわつよう》し　これをば己《おの》が境涯《きやうがい》の
中《なか》に同化《どうくわ》し実現《じつげん》し　その向上《かうじやう》を計《はか》るなり。

○

高天原《たかあまはら》の主《す》神《しん》より　任《よさ》し給《たま》ひし宣伝使《せんでんし》は
自《みづか》ら説法《せつぽふ》の才能《さいのう》あり　霊国以外《れいごくいぐわい》の天人《てんにん》は
神《かみ》の家《いへ》にて説《と》くを得《え》ず　しかして神《かみ》の宣伝使《せんでんし》は
祭司《さいし》となるを許《ゆる》されず　神《かみ》の祭祀《さいし》を行《おこな》ふは
天国人《てんごくじん》の所業《しよげふ》にて　霊国人《れいごくじん》の職《しよく》ならず
その故《ゆゑ》いかんと尋《たづ》ぬれば　高天原《たかあまはら》の神界《しんかい》の

祭司《さいし》を行《おこな》ふ職掌《しよくしやう》は
惟《ゐ》神《しん》の神業《しんげふ》なればなり
霊国《れいごく》に坐《ま》す主《す》の神《かみ》の
奉仕《ほうし》し尽《つ》くすためぞかし
主権《しゆけん》を有《いう》すは霊国《れいごく》ぞ
義《ぎ》として真《しん》にをればなり
おける説示《せつじ》は証覚《しようかく》の
説示《せつじ》は最下《さいか》の天国《てんごく》の
いかんとなれば天人《てんにん》の
説示《せつじ》の主眼要点《しゆがんえうてん》は

天国《てんごく》に住《す》む天人《てんにん》の
そもそも祭司《さいし》の神業《しんげふ》は
愛《あい》の御徳《みとく》に酬《むく》ゆべく
高天原《たかあまはら》の天界《てんかい》（神界《しんかい》）の
善《ぜん》より来《き》たる真徳《しんとく》を
高天原《たかあまはら》の最奥《さいおう》に
極度《きよくど》に達《たつ》し中天《ちうてん》の
説示《せつじ》に比《ひ》して智慧《ちゑ》に充《み》つ
智覚《ちかく》に応《おう》じて説《と》けばなり
いづれも主神《すしん》の具《そな》へたる

神的人格《しんてきじんかく》を各人《かくじん》が
承認《しようにん》すべく教《をし》へゆく
ことを除《のぞ》けば何《なに》もなし
これを思《おも》へば現界《げんかい》の
宣伝使《せんでんし》また主《す》の神《かみ》の
神格威厳《しんかくゐげん》を外《ほか》にして
説示《せつじ》することなかるべし
あゝ惟神《かむながら》　惟神《かむながら》
高天原《たかあまはら》の天界《てんかい》の
主神《すしん》の愛《あい》とその真《しん》に
歓喜《くわんき》し恭《うやま》ひ　奉《たてまつ》る。

大正十一年十二月

霊の礎　終り

神《しん》慮《りよ》

現代人《げんだいじん》はおもへらく
一個《いつこ》の魔王《まわう》厳在《げんざい》し
堕《お》ち来《く》る精霊《みたま》の罪悪《ざいあく》を
魔王《まわう》は嘗《かつ》て光明《くわうみやう》の
罪《つみ》に問《と》はれて衆族《しうぞく》と
ものとの信仰《しんかう》昔《むかし》より
真相《しんさう》覚《さと》れるものもなし

根底《ねそこ》の国《くに》には最初《さいしよ》より
諸多《しよた》の地獄《ぢごく》を統轄《とうかつ》し
制配《せいばい》なすと恐《おそ》れられ
天人《てんにん》なりしも叛逆《はんぎやく》の
共《とも》に地獄《ぢごく》に堕《お》とされし
深《ふか》く心《こころ》に刻《きざ》まれて
魔王《まわう》もサタンもルシファーも

約言《やくげん》すれば地獄《ぢごく》なり
背後《はいご》に位置《ゐち》せる地獄《ぢごく》にて
兇悪《きようあく》もつとも甚《はなは》だし
地獄《ぢごく》をサタンと称《とな》ふなり
さまで兇悪《きようあく》ならざれば
またルシファーといふ意味《いみ》は
彼《かれ》らの領土《りやうど》は久方《ひさかた》の
ゆゑに一個《いつこ》の魔王《まわう》ありて
地獄《ぢごく》 天界両界《てんかいりやうかい》に
皆《みな》これ人《ひと》の精霊《せいれい》より

殊《こと》に魔王《まわう》と称《とな》ふるは
ここに住《す》めるを兇鬼《きようき》といひ
また前面《ぜんめん》に位《くらゐ》せる
サタンは魔王《まわう》に比《くら》ぶれば
これをば兇霊《きようれい》と称《とな》ふなり
バベルに属《ぞく》する曲《まが》にして
天界《てんかい》までも拡《ひろ》がれり
地獄《ぢごく》を統治《とうち》し坐《ま》さざるは
住《す》める精霊《みたま》に別《わか》ちなく
するものなるや明《あき》らけし

天地《てんち》創造《さうざう》の始《はじ》めより　現代社会《げんだいしやくわい》に至《いた》るまで
幾億万《いくおくまん》の人霊《じんれい》が　現実界《げんじつかい》にある時《とき》に
皇大神《すめおほかみ》の神格《しんかく》に　反抗《はんかう》したる度《ど》に比《ひ》して
各自《かくじ》に一己《いつこ》の悪魔《あくま》なる　業《ごふ》を積《つ》み積《つ》み邪鬼《じやき》となり
地獄《ぢごく》を造《つく》り出《だ》せし由《よし》　悟《さと》りて常《つね》に霊魂《れいこん》を
浄《きよ》めて神《かみ》の坐《ま》す国《くに》へ　昇《のぼ》り行《ゆ》くべく努《つと》むべし
あゝ惟神《かむながら》　惟神《かむながら》　御霊幸《みたまさちは》へましませよ。

○

愛《あい》と善《ぜん》との徳《とく》に充《み》ち　信《しん》と真《しん》とに住《す》みたまふ
真《まこと》の神《かみ》は罪悪《ざいあく》と　虚偽《きよぎ》に充《み》ちたる人々《ひとびと》に

仁慈《じんじ》と光栄《さかえ》の御面《みおもて》を
地獄《ぢごく》に墜落《ついらく》させたまひ
これをば罰《ばつ》し害《そこ》なふと
伝《つた》へ来《き》たりしものぞかし
大御心《おほみこころ》を誤解《ごかい》せし
神《かみ》はいかなる罪人《つみんど》にも
怒《いか》りて精霊《みたま》を地獄界《ねのくに》へ
そのゆゑ如何《いかん》と尋《たづ》ぬれば
珍《うづ》の身体《しんたい》なればなり
決《けつ》して加《くは》ふるものならず

背《そむ》けてこれを排斥《はいせき》し
邪悪《じやあく》に対《たい》して怒《いか》りまし
各宗《ももの》各派《おしへ》の教役者《とりつぎ》が
この言説《げんせつ》は大神《おほかみ》の
痴呆学者《ちはうがくしや》の言葉《ことば》なり
面《おもて》を背《そむ》け排斥《はいせき》し
決《けつ》して堕《お》とすものならず
善《ぜん》と愛《あい》とは主《す》の神《かみ》の
善《ぜん》の自体《じたい》は害悪《がいあく》を
愛《あい》と仁《じん》とは何人《なにびと》も

排斥《はいせき》すべき理由《りいう》なし
万一《まんいち》神《かみ》が罪人《つみびと》に
背《そむ》き斥《しりぞ》け怒《いか》りまさば
仁愛《じんじ》と愛《あい》に背反《はいはん》し
その本性《ほんせい》にもとりまし
神格自体《しんかくじたい》に反《そむ》くべし
それゆゑ神《かみ》はどこまでも
人《ひと》の精霊《みたま》に接《せつ》しますや
善《ぜん》と仁慈《じんじ》と愛《あい》により
臨《のぞ》ませ給《たま》はぬことはなし
五六七《みろく》の神《かみ》は人《ひと》のため
善《ぜん》を思念《しねん》し克《よ》く愛《あい》し
仁慈《じんじ》を施《ほどこ》し給《たま》ふのみ
あゝ惟神《かむながら》　惟神《かむながら》
御《み》霊幸《たまさちは》へましませよ。

○

神《かみ》より人《ひと》に流《なが》れ来《く》る
すべてのものは愛《あい》の善《ぜん》

信《しん》と真《しん》との光《ひかり》のみ
根底《ねそこ》の国《くに》より来《く》るものは
悪逆無道《あくぎやくぶだう》ばかりなり
まことの神《かみ》は人間《にんげん》を
悪《あく》より離《はな》れて善道《ぜんだう》に
立帰《たちかへ》らせむと為《な》したまふ
これは反《はん》して地獄界《ぢごくかい》は
人《ひと》をば悪《あく》に誘《さそ》はむと
一心不乱《いつしんふらん》に焦慮《せうりよ》せり
さはさりながら人間《にんげん》は
天界《てんかい》 地獄両界《ぢごくりやうかい》の
間《あひだ》に介在《かいざい》なさざれば
人《ひと》は何《なん》らの想念《さうねん》も
意義《いぎ》も自由《じいう》も撰択《せんたく》も
あらず身魂《みたま》も亡《ほろ》ぶべし
人《ひと》に善悪二《ぜんあくに》方面《はうめん》
あるは正邪《せいじや》を平衡《ならし》する
神《かみ》の賜《たまもの》なればなり
神《かみ》もし人《ひと》の精霊《せいれい》に
面《おもて》を背《そむ》けたまひなば

悪事《あくじ》も心《こころ》のままになし
神《かみ》より人《ひと》に向《む》かひまし
唯《ただ》ただ善《ぜん》の徳《とく》のみぞ
善良無比《ぜんりやうむひ》の身魂《みたま》にも
少《すこ》しく相違《さうゐ》の点《てん》あるは
対《たい》して悪《あく》を離《はな》れしめ
善良無比《ぜんりやうむひ》の身魂《みたま》には
善《ぜん》をば積《つ》ませたまふなり
人間自身《にんげんじしん》の心《こころ》より
すべての人《ひと》は天界《てんかい》や

人《ひと》たる所以《ゆゑん》は滅《ほろ》ぶべし
流《なが》れ来《き》たれる光明《くわうみやう》は
しかるに悪《あ》しき人間《にんげん》も
皆《みな》その神徳《みとく》に浴《よく》すなり
真《まこと》の神《かみ》は悪人《あくにん》に
救《すく》ひやらむと為《な》したまひ
ますます円満具足《ゑんまんぐそく》なる
以上《いじやう》のごとき差異《さい》あるは
これをば敢《あ》へて為《な》すものぞ
地獄《ぢごく》の所受《しよじゆ》の器《うつは》にて

中有《ちうう》界《かい》に居《を》ればなり。

○

世《せ》界《かい》の人《ひと》は天界《てんかい》の　流《なが》れを受《う》けて善《ぜん》を為《な》し
地獄《ぢごく》によりて悪《あく》を為《な》す　ゆゑに大本神諭《おほもとしんゆ》には
すべての事物《じぶつ》は霊界《れいかい》の　皆精霊《みなせいれい》の為《な》す業《わざ》と
示《しめ》させ給《たま》ふ所以《ゆゑん》なり　されども人《ひと》はその行為《わざ》を
残《のこ》らず己《おのれ》の身《み》よりすと　信《しん》ずるゆゑにその為《な》せる
悪《あく》は皆《みな》その自有《じう》となし　心中深《しんちうふか》く膠着《かうちやく》せり
それゆゑ人《ひと》は自身《じしん》より　悪《あく》と虚偽《きよぎ》との因《たね》となる
神《かみ》の関《くわん》する由来《ゆらい》なし　人《ひと》の身魂《みたま》に包有《はうう》せる

悪《あく》と虚偽《きよぎ》とはその人《ひと》の
地獄《ぢごく》といふも悪《あく》といふも
人《ひと》は自《みづか》ら包有《はうう》せる
地獄《ぢごく》に墜《お》ちて苦《くる》しむも
決《けっ》して真《まこと》の大神《おほかみ》は
処罰《しよばっ》し給《たま》ふものならじ
悪《あく》を欲《ほっ》せず愛《あい》せずば
脱離《だつり》せしめて天界《てんかい》へ
地獄《ぢごく》に投《な》げやり給《たま》ふこと
あゝ惟神《かむながら》 惟神《かむながら》

心《こころ》の中《なか》の地獄《ぢごく》なり
皆同一《みなどういつ》の事《こと》ぞかし
諸悪《しよあく》の原因《げんいん》なるゆゑに
自《みづか》ら赴《おもむ》く次第《しだい》なり
地獄《ぢごく》に堕《お》とし苦《くる》しめて
如何《いかん》となれば人間《にんげん》が
主《す》の大神《おほかみ》は地獄《ぢごく》より
導《みちび》きたまひ人《ひと》をして
決《けっ》してなきを悟《さと》るべし
御霊幸《みたまさちは》へましませよ。

（霊界物語　第五六巻　第一章）

神《しん》霊《れい》界《かい》の状《じやう》態《たい》

神霊界《しんれいかい》の状態《じやうたい》は　肉体人《にくたいじん》の住居《ぢうきよ》せる
世《せ》界《かい》と万事《ばんじ》相似《あひに》たり　平野《へいや》　山岳《さんがく》　丘陵《きうりやう》や
岩石《がんせき》　渓谷《けいこく》　水《みづ》に火《ひ》に　草木《くさき》の片葉《かきは》に至《いた》るまで
外形上《ぐわいけいじやう》より見《み》る時《とき》は　何《なん》らの変《か》はりしところなし
されども是《これ》らの諸々《もろもろ》は　起源《きげん》を一切霊界《いつさいれいかい》に
採《と》りたるゆゑに天人《てんにん》や　精霊《せいれい》のみの眼《め》に入《い》りて
肉体人《にくたいじん》の見《み》るを得《え》ず　形体的《けいたいてき》の存在《そんざい》は

自然的起源《しぜんてききげん》を保有《ほいう》する　現界人《げんかいじん》のみこれを見《み》る
顕幽区別《けんいうくべつ》は明《あき》らかに　神《かみ》の立《た》てたる法則《みのり》なり
それゆゑ現世《げんせ》の人々《ひとびと》は　霊界事象《れいかいじしよう》を見《み》るを得《え》ず
精霊界《せいれいかい》に入《い》りしとき　神《かみ》の許《ゆる》しを蒙《かうむ》りて
詳《くは》しく見聞《けんぶん》するものぞ。

○

これに反《はん》して天人《てんにん》や　精霊界《せいれいかい》に入《い》りし者《もの》は
また現界《げんかい》や自然界《しぜんかい》　事物《じぶつ》を見《み》ること不能《ふのう》なり
鎮魂帰神《ちんこんきしん》の妙法《めうはふ》に　よりて人間《にんげん》の体《たい》を藉《か》り
憑依《ひようい》せし時《とき》漸《やうや》くに　現界《げんかい》の一部《いちぶ》を見聞《けんぶん》し

人《ひと》に対《たい》して物語《ものがた》り　為《な》し遂《と》げらるるものぞかし
如何《いかん》となれば肉体人《ひと》の目《め》は　形体界《けいたいかい》の光明《くわうみやう》を
受《う》くるに適《てき》し天人《てんにん》や　精霊《せいれい》の眼《まなこ》は天界《てんかい》の
光明《くわうみやう》を受《う》くるに適《てき》すべく　造《つく》り為《な》されしためぞかし
しかも両者《りやうしや》の眼目《まなこ》より　外面全《ぐわいめんまつた》く相似《あひに》たり
霊界《れいかい》の性相《せいさう》この如《ごと》く　造《つく》られたるを自然界《しぜんかい》の
人《ひと》の会得《ゑとく》し能《あた》はざるは　これまたやむを得《え》ざるべし
外感上《ぐわいかんじやう》の人々《ひとびと》は　その肉眼《にくがん》に見《み》るところ
手足《てあし》の触覚《しよくかく》 視覚等《しかくとう》に　取《と》り入《い》れ得《え》らるるその外《ほか》は
容易《ようい》に信《しん》じ得《え》ざるなり。

○

現界人《げんかいじん》はこのごとき
ゆゑに全《まつた》くその思想《しさう》
霊的《れいてき》ならず霊界《れいかい》と
如上《によじやう》のごとき相似《さうじ》あれば
かつて生《う》まれし故郷《ふるさと》や
なほも住居《ぢうきよ》するものなりと
このゆゑ人《ひと》は死《し》を呼《よ》びて
相似《さうじ》の国《くに》へ往《ゆ》くといふ。

○

事物《じぶつ》に基《もと》づき思考《しかう》する
物質的《ぶつしつてき》に偏《かた》よりて
現実界《げんじつかい》とのその間《うち》に
人《ひと》は死《し》したる後《のち》の身《み》も
離《はな》れ来《き》たりし世《よ》の中《なか》に
誰人《たれびと》とても思《おも》ふべし
これよりあの世《よ》の霊界《れいかい》の

現実界《げんじつかい》を後《あと》にして　精霊界《せいれいかい》に移《うつ》る時《とき》
その状態《じやうたい》を死《し》と称《しよう》す　死《し》し行《ゆ》くものは一切《いつさい》の
身魂《みたま》に属《ぞく》せし悉《ことごと》を　霊界《れいかい》さして持《も》ちて行《ゆ》く
物質的《ぶつしつてき》の形骸《けいがい》は　腐朽《ふきう》し去《さ》れば残《のこ》すなり
死後《しご》の生涯《しやうがい》に入《い》れるとき　現実界《げんじつかい》にありしごと
同《おな》じ形《かたち》の身体《しんたい》を　保《たも》ちて何《なん》らの相違《さうゐ》なく
打《う》ち見《み》るところ塵身《ぢんしん》と　霊身《れいしん》に何《なん》らの区別《くべつ》なし
されどその実《じつ》身体《しんたい》は　すでに霊的活動《れいてきくわつどう》し
物質的《ぶつしつてき》の事物《じぶつ》より　分離《ぶんり》し純化《じゆんくわ》し清《きよ》らけく
霊的事物《れいてきじぶつ》の相接《あひせつ》し　相見《あひみ》る状態《さま》は現界《げんかい》の

相触《あひふ》れ相見《あひみ》る如《ごと》くなり
精霊界《せいれいかい》に入《い》りし後《ご》も
すべての人《ひと》は現界《げんかい》に
保《たも》ちし時《とき》の肉体《にくたい》に
あるもののごと思《おも》ひ詰《つ》め
吾《わ》が身《み》のかつて死去《しきょ》したる
その消息《せうそく》を忘《わす》るなり。

○

精霊界《せいれいかい》に入《い》りし後《ご》も
人《ひと》は依然《いぜん》と現界《げんかい》に
ありて感受《かんじゅ》せる肉的《にくてき》や
外的感覚保有《ぐわいてきかんかくほいう》して
見《み》ること聞《き》くこと言《い》ふことも
嗅《か》ぐこと味《あぢ》はひ触《ふ》るること
残《のこ》らず現世《げんせ》の如《ごと》くなり
精霊界《せいれいかい》に身《み》をおくも
名位寿富《めいゐじゆふう》の願《ねが》ひあり
思策《しさく》し省《かへり》み感動《かんどう》し

愛《あい》し意識《いしき》し学術《がくじゆつ》を　好《この》みしものは読書《どくしよ》もし
著述《ちよじゆつ》を励《はげ》む身魂《みたま》あり　換言《くわんげん》すれば死《し》といふは
此《これ》より彼《かれ》に移《うつ》るのみ　その身《み》に保《たも》てる一切《いつさい》の
事物《じぶつ》を到《いた》る先々《さきざき》へ　持《も》ち行《ゆ》き活躍《くわつやく》すればなり
ゆゑに死《し》するといふことは　物質的《ぶつしつてき》の形体《けいたい》の
死滅《しめつ》をいふに過《す》ぎずして　自己本来《じこほんらい》の生命《せいめい》を
決《けつ》して失《うしな》ふものならず。

○

再《ふたた》び神《かみ》の意志《いし》に由《よ》り　現界《げんせ》に生《う》まれ来《く》る時《とき》は
以前《いぜん》の記憶《きおく》の一切《いつさい》は　忘却《ばうきやく》さるるものなれど

こは刑罰《けいばつ》の一種《いつしゆ》にて
一度《いちど》霊界《れいかい》へ復活《ふくくわつ》し
神霊界《しんれいかい》より見《み》る時《とき》は
人《ひと》は現世《げんせ》にある間《うち》に
神《かみ》を敬《うやま》ひ世《よ》を救《すく》ひ
尽《つ》くしおかねば死《し》して後《のち》
あるいは根底《ねそこ》の地獄道《ぢごくだう》
受《う》くるものぞと覚悟《かくご》して
善《ぜん》を行《おこな》ひ美《び》を尽《つ》くし
力《ちから》かぎりに努《つと》めつつ

如何《いかん》ともする術《すべ》はなし
またもや娑婆《しやば》に生《う》まるるは
すべて不幸《ふかう》の身魂《みたま》なり
五倫五常《ごりんごじやう》の道《みち》を踏《ふ》み
神《かみ》の御子《みこ》たる天職《てんしよく》を
中有界《ちううかい》に踏《ふ》み迷《まよ》ひ
種々雑多《いろいろざつた》の苦《くる》しみを
真《まこと》の神《かみ》を信仰《しんかう》し
人《ひと》の人《ひと》たる本分《ほんぶん》を
永遠無窮《えいゑんむきう》の天国《てんごく》へ

楽《たの》しく上《のぼ》り進《すす》み行《ゆ》く　用意《ようい》を怠《をこた》ることなかれ
顕幽一致《けんいういっち》　生死不二《せいしふじ》　軽生重死《けいせいぢうし》も道《みち》ならず
重生軽死《ぢうせいけいし》また悪《わる》し　刹那《せつな》　刹那《せつな》に身魂《しんこん》を
研《みが》き清《きよ》めて神界《しんかい》と　現実界《げんじつかい》の万物《ばんぶつ》の
大経綸《だいけいりん》の神業《しんげふ》に　尽《つ》くせよ尽《つ》くせよ惟神《かむながら》
神《かみ》のまにまに述《の》べておく。

（霊界物語　第十五巻　跋文）

霊《れい》主《しゆ》体《たい》従《じう》の世《せ》界《かい》

霊界《れいかい》は想念《さうねん》の世界《せかい》であつて、無限《むげん》に広大《くわうだい》なる精霊世界《せいれいせかい》である。現実世界《げんじつせかい》はすべて神霊世界《しんれいせかい》の移写《いしや》であり、また縮図《しゆくづ》である。霊界《れいかい》の真象《かたち》をうつしたのが、現界《げんかい》、即《すなは》ち自然界《しぜんかい》である。ゆゑに現《げん》界《かい》を称《しよう》してウツシ世《よ》といふのである。

○

たとへば一万三千尺《いちまんさんぜんじやく》の大富士山《だいふじさん》をわづか二《に》寸四《すんし》方《はう》くらゐの写真《しやしん》にうつしたやうなもので、その写真《しやしん》がいはゆる現界即《げんかいすなは》ちウツシ世《よ》である。写真《しやしん》の不二山《ふじさん》はきはめて小《ちひ》さいものだが、その実物《じつぶつ》は世人《せじん》の知《し》るごとく、駿《すん》、甲《かふ》、武《ぶ》三国《さんごく》にまたがつた大高山《だいかうざん》であるがごとく、神霊界《しんれいかい》は到底《たうてい》現界《げんかい》人《じん》の夢想《むさう》だになし得《え》ざる広大《くわうだい》なものである。わづか一間四方《いつけんしはう》くらゐの神社《じんじや》の内陣《ないぢん》でも、霊界《れいかい》にてはほとんど現界人《げんかいじん》の眼《め》で見《み》る十里四方《じふりしはう》くらゐはあるのである。すべて現実界《げんじつかい》の事物《じぶつ》は、いづれも神霊界《しんれいかい》の移写《いしや》であるからである。

○

わづかに一尺足《いつしやくた》らずの小《ちひ》さい祭壇《さいだん》にも、八百万《やほよろづ》の神々《かみがみ》やまたは祖先《そせん》の神霊《しんれい》があまり狭隘《けふあい》を感《かん》じたまはずして鎮《しづ》まり給《たま》ふのは、すべて神霊《しんれい》は情動想念《じやうどうさうねん》の世界《せかい》なるがゆゑに、自由自在《じいうじざい》に想念《さうねん》の延長《えんちやう》を為《な》し得《う》るがゆゑである。三尺四方《さんじやくしはう》くらゐの祠《ほこら》を建《た》てておいて、下津岩根《したついはね》に大宮柱太《おほみやばしらふと》敷立《しきた》て、高天原《たかあまはら》に千木高知《ちぎたかし》りて云々《うんぬん》と祝詞《のりと》を奏上《そうじやう》するのも、少《すこ》しばかりの供物《くもつ》を献《けん》じて、横山《よこやま》の如《ごと》く八足《やたり》の机代《つくゑしろ》に置足《おきた》らはして奉《たてまつ》る云々《うんぬん》とある祝詞《のりと》の意義《いぎ》も、決《けつ》して虚偽《きよぎ》ではない。すべて現界《げんかい》はカタ即《すなは》ち形《かたち》の世界《せかい》であるから、その祠《ほこら》も供物《くもつ》も前《まへ》に述《の》べた不二山《ふじさん》の写真《しやしん》に比《ひ》すべきものであつて、神霊界《しんれいかい》にあつては極《きは》めて立派《りつぱ》な祠《ほこら》が建《た》てられ、また八百万《やほよろづ》の神々《かみがみ》が聞食《きこしめ》しても不《ふ》足《そく》を告《つ》げないほどの供物《くもつ》となつてゐるのである。

○

すべて世界《せかい》は霊界《れいかい》が主《しゆ》で現界即《げんかいすなは》ち形体界《けいたいかい》が従《じう》である。一切万事《いつさいばんじ》が霊主体従的《れいしゆたいじうてき》に組織《そしき》されてあるのが、宇宙《うちう》の真相《しんさう》で大神《おほかみ》の御経綸《ごけいりん》である。現実界《げんじつかい》より外《ほか》に神霊界《しんれいかい》の儼然《げんぜん》として存在《そんざい》することを知《し》らない人《ひと》が、こんな説《せつ》を聞《き》いたならば定《さだ》めて一笑《いつせう》に付《ふ》して顧《かへり》みないでありませう。無限絶対《むげんぜつたい》無《む》始無終《しむしう》の霊界《れいかい》の事象《じしやう》は、極限《きよくげん》された現界《げんかい》に住《す》む人間《にんげん》の智力《ちりよく》では、到底会得《たうていゑとく》することはできないでせう。

（霊界物語 第二一巻 総説）

聖《せい》言《げん》

宇宙《うちう》には、霊界《れいかい》と現界《げんかい》との二《ふた》つの区界《くかい》がある。しかして霊界《れいかい》には、また高天原《たかあまはら》と根底《ねそこ》の国《くに》との両方面《りやうはうめん》があり、この両方面《りやうはうめん》の中間《ちうかん》に介在《かいざい》する一《ひと》つの界《かい》があつて、これを中有界《ちうう かい》または精霊界《せいれいかい》といふのである。また現界《げんかい》一名《いちめい》自然界《しぜんかい》には、昼夜《ちうや》の区別《くべつ》があり、寒暑《かんしよ》の区別《くべつ》があるのは、あたかも霊界《れいかい》に、天界《てんかい》と地獄界《ちごくかい》とあるに比《ひ》すべきものである。人間《にんげん》は、霊界《れいかい》の直接《ちよくせつ》または間接内流《かんせつないりう》を受《う》け、自然界《しぜんかい》の物質《ぶつしつ》即《すなは》ち剛《がう》柔《じう》流《りう》の三大元質《さんだいげんしつ》によつて、肉体《にくたい》なるものを造《つく》られ、この肉体《にくたい》を宿《やど》として、精霊《せいれい》これに宿《やど》るものである。その精霊《せいれい》は、即《すなは》ち人間自身《にんげんじしん》なのである。要《えう》するに人間《にんげん》の躯殻《くかく》は、精霊《せいれい》の居宅《きよたく》に過《す》ぎないのである。この原理《げんり》を霊主体従《れいしゆたいじう》といふのである。霊《れい》なるものは、神《かみ》の神格《しんかく》なる愛《あい》の善《ぜん》と信《しん》の真《しん》より形成《けいせい》されたる一個体《いちこたい》である。しかして人間《にんげん》には、一方《いっぱう》に愛信《あいしん》の想念《さうねん》あるとともに、一方《いっぱう》には、身体《しんたい》を発育《はついく》し、現実界《げんじつかい》に生《い》き働《はたら》くべき体慾《たいよく》がある。この体慾《たいよく》は、いはゆる愛《あい》より来《き》たるのである。しかし、体《たい》に対《たい》する愛《あい》は、これを自愛《じあい》といふ。神《かみ》より直接《ちょくせつ》に来《き》たるところの愛《あい》は、これを神愛《しんあい》といひ、神《かみ》を愛《あい》し万物《ばんぶつ》を愛《あい》する、いはゆる普遍愛《ふへんあい》である。また自愛《じあい》は、自己《じこ》を愛《あい》し、自己《じこ》に必要《ひつえう》なる社会的利益《しやくわいてきりえき》を愛《あい》するものであつて、これを自利心《じりしん》といふのである。

○

人間《にんげん》は肉体《にくたい》のあるかぎり、自愛《じあい》もまた必要欠《ひつえうか》くべからざるものであるとともに、人《ひと》はその本源《ほんげん》に遡《さかのぼ》り、どこまでも真《しん》の神愛《しんあい》に帰正《きせい》しなくてはならぬのである。要《えう》するに人間《にんげん》は、霊界《れいかい》より見《み》れば、即《すなは》ち精霊《せいれい》であつて、この精霊《せいれい》なるものは、善悪両方面《ぜんあくりやうはうめん》を抱持《はうぢ》してゐる。ゆゑに人間《にんげん》は、霊的動物《れいてきどうぶつ》なるとともに、また体的動物《たいてきどうぶつ》である。精霊《せいれい》はあるいは向上《かうじやう》して天人《てんにん》となり、あるいは堕落《だらく》して地獄《ぢごく》の邪鬼《じやき》となる、善悪《ぜんあく》正邪《せいじや》の分水嶺《ぶんすいれい》に立《た》つてゐるものである。しかして、たいていの人間《にんげん》は、神界《しんかい》より見《み》れば、人間《にんげん》の肉体《にくたい》を宿《やど》として精霊界《せいれいかい》に彷徨《はうくわう》してゐるものである。しかして精霊《せいれい》の善《ぜん》なるものを、正守護神《せいしゆごじん》といひ、悪《あく》なるものを、副守護神《ふくしゆごじん》といふ。正守護神《せいしゆごじん》は、神格《しんかく》の直接内流《ちよくせつないりう》を受《う》け、人身《じんしん》を幾関《きくわん》として、天国《てんごく》の目的即《もくてきすなは》ち御用《ごよう》に奉仕《ほうし》すべく神《かみ》より造《つく》られたもので、この正守護神《せいしゆごじん》は、副守護神《ふくしゆごじん》なる悪霊《あくれい》に犯《をか》されず、よくこれを統制《とうせい》し得《う》るに至《いた》れば、一躍《いちやく》して本守護神《ほんしゆごじん》となり天人《てんにん》の列《れつ》に加《くわ》はるものである。また悪霊即《あくれいすなは》ち副守護神《ふくしゆごじん》に圧倒《あつたう》され、彼《かれ》が頤使《いし》に甘《あま》んずるごとき卑怯《ひけふ》なる精霊《せいれい》となる時《とき》は、精霊《せいれい》みづからも地獄界《ぢごくかい》へともどもに堕《おと》されてしまふのである。

この時《とき》は、ほとんど善《ぜん》の精霊《せいれい》は悪霊《あくれい》に併合《へいがふ》され、副守護神《ふくしゆごじん》のみ、わがもの顔《がほ》に跋扈跳梁《ばつこてうりやう》するに至《いた》るものである。そしてこの悪霊《あくれい》は、自然界《しぜんかい》における自愛《じあい》の最《もつと》も強《つよ》きもの、即《すなは》ち外部《ぐわいぶ》より入《い》り来《き》たる諸々《もろもろ》の悪《あく》と虚偽《きよぎ》によつて、形作《かたちづく》られるものである。かくのごとき悪霊《あくれい》に心身《しんしん》を占領《せんりやう》された者《もの》を称《しよう》して、体主霊従《たいしゆれいじう》の人間《にんげん》といふのである。また善霊《ぜんれい》も悪霊《あくれい》も皆《みな》これを一括《いつくわつ》して精霊《せいれい》といふ。

○

現代《げんだい》の人間《にんげん》は百人《ひやくにん》がほとんど百人《ひやくにん》まで、本守護神《ほんしゆごじん》たる天人《てんにん》の情態《じやうたい》なく、いづれも精霊界《せいれいかい》に籍《せき》をおき、そして精霊界《せいれいかい》の中《なか》でも外分《ぐわいぶん》のみ開《ひら》けてゐる地獄界《ぢごくかい》に籍《せき》をおく者《もの》、大多数《だいたすう》を占《し》めてゐるのである。また今日《こんにち》のすべての学者《がくしや》は、宇宙《うちう》の一切《いつさい》を解釈《かいしやく》せむとして非常《ひじやう》に頭脳《づなう》をなやませ、研究《けんきう》に研究《けんきう》を重《かさ》ねてゐるが、彼《かれ》らは霊的事物《れいてきじぶつ》の何物《なにもの》たるを知《し》らず、また霊界《れいかい》の存在《そんざい》をも覚知《かくち》せない癲狂痴呆的態度《てんきやうちはうてきたいど》をもつて、宇宙《うちう》の真相《しんさう》を究《きは》めむとしてゐる。これを称《しよう》して体主霊従的研究《たいしゆれいじうてきけんきう》といふ。はなはだしきは体主体従的研究《たいしゆたいじうてきけんきう》に堕《だ》してゐるものが多《おほ》い。いづれも『大本神諭《おほもとしんゆ》』にある通《とほ》り、暗《くら》がりの世《よ》、夜《よる》の守護《しゆご》の副守護神《ふくしゆごじん》ばかりである。途中《とちう》の鼻高《はなだか》と書《か》いてあるのは、いはゆる天国《てんごく》地獄《ぢごく》の中途《ちうと》にある精霊界《せいれいかい》に迷《まよ》ふてゐる者《もの》どものことである。

○

すべて宇宙《うちう》には霊界《れいかい》、現界《げんかい》の区別《くべつ》ある以上《いじやう》は、到底一方《たうていいつぱう》のみにてその真相《しんさう》を知《し》ることはできない。自然界《しぜんかい》の理法《りはふ》に基《もと》づくいはゆる科学的知識《くわがくてきちしき》をもつて、無限絶対《むげんぜつたい》無始無終《むしむしう》、不可知《ふかち》不可測《ふかそく》の霊界《れいかい》の真相《しんさう》を探《さぐ》らむとするは、実《じつ》に迂愚癲狂《うぐてんきやう》も甚《はなは》だしといはねばならぬ。まづ現代《げんだい》の学者《がくしや》は、その頭脳《づなう》の改造《かいざう》をなし、霊的事物《れいてきじぶつ》の存在《そんざい》を少《すこ》しなりとも認《みと》め、神《かみ》の直接内流《ちよくせつないりう》によつて、真《しん》の善《ぜん》を知《し》り、真《しん》の真《しん》を覚《さと》るべき糸口《いとぐち》を捕捉《ほそく》せなくては、黄河百年《くわうがひやくねん》の河清《かせい》をまつやうなものである。今日《こんにち》のごとき学者《がくしや》の態度《たいど》にては、たとへ幾百万年努力《いくひやくまんねんどりよく》するとも、到底《たうてい》その目的《もくてき》は達《たつ》することを得《え》ないのである。夏《なつ》の虫《むし》が冬《ふゆ》の雪《ゆき》を信《しん》ぜないごとく、今日《こんにち》の学者《がくしや》はその智《ち》暗《くら》くその識浅《しきあさ》く、かつ驕慢《けうまん》にして自尊心強《じそんしんつよ》く、何事《なにごと》も自己《じこ》の知識《ちしき》をもつて、宇宙一切《うちういつさい》の解決《かいけつ》がつくやうに、いなほとんどついたもののやうに思《おも》つてゐるから、実《じつ》におめでたいといはねばならぬのである。天体《てんたい》の運行《うんかう》や大地《だいち》の自転運動《じてんうんどう》や、月《つき》の循行《じゆんかう》、寒熱《かんねつ》の原理《げんり》などについても、まだ一《いつ》としてその真《しん》を得《え》たるものは見《み》当《あた》らない。徹頭徹尾《てつとうてつび》、矛盾《むじゆん》と撞着《どうちやく》と、昏迷惑乱《こんめいわくらん》とに充《み》たされ、暗黒無明《あんこくむみやう》の域《ゐき》に彷徨《はうくわう》し、太陽《たいやう》の光明《くわうみやう》に反《そむ》き、わづかに陰府《いんぷ》の鬼火《おにび》の影《かげ》を認《みと》めて、大発明《だいはつめい》でもしたやうに騒《さわ》ぎまはつてゐるその浅《あさ》ましさ。少《すこ》しでも証覚《しようかく》の開《ひら》けたものの目《め》より見《み》る時《とき》は、実《じつ》に妖怪変化《えうくわいへんげ》の夜行《やかう》するごとき状態《じやうたい》である。現実界《げんじつかい》の尺度《しやくど》は、すべて計算的知識《けいさんてきちしき》によつて、そのある程度《ていど》までは考察《かうさつ》し得《え》られるであらう。しかしなにほど数学《すうがく》の大博士《だいはくし》といへども、その究極《きうきよく》するところは、到底割《たうていわ》り切《き》れないのである。例《たと》へば十《じふ》を三分《さんぶん》し、順《じゆん》を追《お》ふて、おひおひ細分《さいぶん》しゆく時《とき》は、その究極《きうきよく》するところは、ヤハリ細微《さいび》なる一《いち》といふものが残《のこ》る。この一《いち》は、なにほど鯱立《しやちほこだ》ちになつて研究《けんきう》しても到底能《たうていあた》はざるところである。自然界《しぜんかい》にあつて、自然的事物即《しぜんてきじぶつすなは》ち科学的研究《くわがくてきけんきう》をどこまで進《すす》めても、解決《かいけつ》がつかないやうな愚鈍《ぐどん》な暗冥《あんめい》な知識《ちしき》をもつて、焉《いづく》んぞ霊界《れいかい》の消息門内《せうそくもんない》に一歩《いつぽ》たりとも踏《ふ》み入《い》ることができようか。

○

口述者《こうじゆつしや》が霊界《れいかい》より、大神《おほかみ》の愛善《あいぜん》と信真《しんしん》より成《な》れる神格《しんかく》の直接内流《ちよくせつないりう》やその他諸天使《たしよてんし》の間接内流《かんせつないりう》によつて、暗迷愚昧《あんめいぐまい》なる現界人《げんかいじん》に対《たい》し、霊界《れいかい》の消息《せうそく》を洩《も》らすのは、何《なん》だか豚《ぶた》に真珠《しんじゆ》を与《あた》ふるやうな心持《こころも》ちがする。かく言《い》へば瑞月《ずいげつ》は、癲狂者《てんきやうしや》あるいは誇大妄想狂《こだいまうさうきやう》として、一笑《いつせう》に付《ふ》するであらう。しかしながら自分《じぶん》の目《め》より見《み》れば、現代《げんだい》の学者《がくしや》くらゐ始末《しまつ》の悪《わる》い、分《わか》らずやはないと思《おも》ふ。プラス、マイナスを唯一《ゆいいつ》の武器《ぶき》として、絣《かすり》や金米糖《こんぺいたう》をゑがき、現界《げんかい》の研究《けんきう》さへも、まだその門《もん》戸《こ》に達《たつ》してゐない自称学者《じしようがくしや》が、霊界《れいかい》のことに嘴《くちばし》を容《い》れて、審神者《さには》をしようとするのだから、実《じつ》に滑稽《こつけい》である。ゆゑにこの『霊界物語《れいかいものがたり》』も、これを読《よ》む人々《ひとびと》の智慧証覚《ちゑしようかく》の度合《どあひ》の如何《いかん》によつて、その神霊《しんれい》の感応《かんおう》に応《おう》ずる程度《ていど》に、幾多《いくた》の差等《さとう》が生《しやう》ずるのは已《や》むを得《え》ないのである。

○

宇宙《うちう》の真理《しんり》は開闢《かいびやく》のはじめより、億兆万年《おくてうまんねん》の末《すゑ》にいたるも、決《けつ》して微塵《みぢん》の変化《へんくわ》もないものである。しかしながら、これに相対《あひたい》する人間《にんげん》の智慧証覚《ちゑしようかく》の賢愚《けんぐ》の度《ど》によつて種々雑多《しゆじゆざつた》に映《えい》ずるのであつて、つまりその変化《へんくわ》は真理《しんり》そのものにあらずして、人間《にんげん》の知識《ちしき》そのものにあることを知《し》らねばならぬのである。もし現代《げんだい》の人間《にんげん》が、大神《おほかみ》の直接統治《ちよくせつとうち》したまふ天界《てんかい》の団体《だんたい》に籍《せき》をおき、天人《てんにん》の列《れつ》に加《くわ》はることを得《え》たならば、現代《げんだい》の学者《がくしや》のごとく無性《むしやう》やたらに頭脳《づなう》を悩《なや》まし、心臓《しんざう》を痛《いた》め肺《はい》臓《ざう》を破《やぶ》り、神経衰弱《しんけいすいじやく》を来《き》たさなくても、容易《ようい》に明瞭《めいれう》に宇宙《うちう》の組織紋理《そしきもんり》が判知《はんち》さるるのである。

○

ここに霊界《れいかい》に通《つう》ずる唯一《ゆいいつ》の方法《はうはふ》として、鎮魂帰神《ちんこんきしん》なる神術《かむわざ》がある。しかして人間《にんげん》の精霊《せいれい》が直《ちよく》接《せつ》大元神《だいげんしん》即《すなは》ち主《す》の神《かみ》（または大神《おほかみ》といふ）に向《む》かつて、神格《しんかく》の内流《ないりう》を受《う》け、大神《おほかみ》と和合《わがふ》する状《じやう》態《たい》を帰神《きしん》といふのである。帰神《きしん》とは、わが精霊《せいれい》の本源《ほんげん》なる大神《おほかみ》の御神格《ごしんかく》に帰一和合《きいつわがふ》するの謂《いひ》である。ゆゑに帰神《きしん》は、大神《おほかみ》の直接内流《ちよくせつないりう》を受《う》くるによつて、予言者《よげんしや》として、最《もつと》も必要《ひつえう》なる霊界真相《れいかいしんさう》の伝達者《でんたつしや》である。

○

次《つぎ》に大神《おほかみ》の御神格《ごしんかく》に照《て》らされ、智慧証覚《ちゑしようかく》を得《え》、霊国《れいごく》にあつてエンゼルの地位《ちゐ》に進《すす》んだ天人《てんにん》が、人間《にんげん》の精霊《せいれい》に降《くだ》り来《き》たり、神界《しんかい》の消息《せうそく》を、人間界《にんげんかい》に伝達《でんたつ》するのを神懸《しんけん》といふ。またこれを神格《しんかく》の間接内流《かんせつないりう》ともいふ。これもまた予言者《よげんしや》を求《もと》めてその精霊《せいれい》を充《み》たし、神界《しんかい》の消息《せうそく》を、ある程度《ていど》まで人間界《にんげんかい》に伝達《でんたつ》するものである。

○

次《つぎ》に、外部《ぐわいぶ》より人間《にんげん》の肉体《にくたい》に侵入《しんにふ》し、罪悪《ざいあく》と虚偽《きよぎ》を行《おこな》ふところの邪霊《じやれい》がある。これを悪霊《あくれい》または副守護神《ふくしゆごじん》といふ。この情態《じやうたい》を称《しよう》して神憑《しんぴよう》といふ。

○

すべての偽予言者《にせよげんしや》、贋救世主《にせきうせいしゆ》などは、この副守《ふくしゆ》の囁《ささや》きを、人間《にんげん》の精霊《せいれい》みづから深《ふか》く信《しん》じ、かつ憑霊白身《ひようれいじしん》も貴《たふと》き神《かみ》と信《しん》じ、その説《と》き教《をし》へるところもまた神《かみ》の言葉《ことば》と、自《みづか》ら自《みづか》らを信《しん》じてゐるものである。すべてかくのごとき神憑《しんぴよう》は、自愛《じあい》と世間愛《せけんあい》より来《き》たる凶霊《きようれい》であつて、世人《せじん》を迷《まよ》はし、かつ大神《おほかみ》の神格《しんかく》を毀損《きそん》すること最《もつと》もはなはだしきものである。かくのごとき神憑《しんぴよう》は、すべて地《ち》獄《ごく》の団体《だんたい》に籍《せき》をおき、現界《げんかい》の人間《にんげん》をして、その善霊《ぜんれい》を亡《ほろ》ぼし、かつ肉体《にくたい》をも亡《ほろ》ぼさむことを謀《はか》るものである。近来天眼通《きんらいてんがんつう》とか千里眼《せんりがん》とか、あるいは交霊術《かうれいじゆつ》の達人《たつじん》とか称《しよう》する者《もの》は、いづれもこの地獄界《ちごくかい》に籍《せき》をおける副守護神《ふくしゆごじん》の所為《しよゐ》である。泰西諸国《たいせいしよこく》においては、今日漸《こんにちやうや》く現界以外《げんかいいぐわい》に霊界《れいかい》の在《あ》ることを、霊媒《れいばい》を通《つう》じてやや覚《さと》り始《はじ》めたやうであるが、しかしこの研究《けんきう》は、よほど進《すす》んだ者《もの》でも、精霊界《せいれいかい》へ一歩《いつぽ》踏《ふ》み入《い》れたくらゐな程度《ていど》のもので、到底天国《たうていてんごく》の消息《せうそく》は夢想《むさう》だにも窺《うかが》ひ得《え》ざるところである。たまには最下層天国《さいかそうてんごく》の一部《いちぶ》の光明《くわうみやう》を、遠方《ゑんぱう》の方《はう》から眺《なが》めて、憶測《おくそく》を下《くだ》した霊媒者《れいばいしや》も少《すこ》しは現《あら》はれてゐるやうである。霊界《れいかい》の真相《しんさう》を充分《じうぶん》とはゆかずとも、相当《さうたう》に究《きは》めた上《うへ》でなくては、妄《みだ》りにこれを人間界《にんげんかい》に伝達《でんたつ》するのは、かへつて頑迷無智《ぐわんめいむち》なる人間《にんげん》をして、ますます疑惑《ぎわく》の念《ねん》を増《ま》さしむるやうなものである。ゆゑに霊界《れいかい》の研究者《けんきうしや》は、もつとも霊媒《れいばい》の平素《へいそ》の人格《じんかく》についてよく研究《けんきう》をめぐらし、その心性《しんせい》を十二分《じふにぶん》に探査《たんさ》した上《うへ》でなくては、好奇心《かうきしん》にかられて、不真面目《ふまじめ》な研究《けんきう》をするやうなことでは、学者自身《がくしやじしん》が中有界《ちううかい》は愚《おろ》か、地獄道《ぢごくだう》に陥落《かんらく》するにいたることは、想《さう》念《ねん》の情動上《じやうどうじやう》やむを得《え》ないところである。

〇

さて、帰神《きしん》も神懸《しんけん》も神憑《しんぴよう》も、概括《がいくわつ》して神《かみ》がかりと称《とな》へてゐるが、その間《あひだ》に、非常《ひじやう》の尊卑《そんぴ》の径《けい》庭《てい》あることを覚《さと》らねばならぬのである。大本開祖《おほもとかいそ》の帰神情態《きしんじやうたい》を、口述者《こうじゆつしや》は前後《ぜんご》二十年間《にじふねんかん》、側《かたはら》にあつて伺《うかが》ひ奉《たてまつ》つたことがある。開祖《かいそ》はいつも、神様《かみさま》が前額《ぜんがく》より肉体《にくたい》にお入《はひ》りになるといはれて、いつも前額部《ぜんがくぶ》を右手《めて》の拇指《おやゆび》で撫《な》でてゐられたことがある。前額部《ぜんがくぶ》は、高天原《たかあまはら》の最高部《さいかうぶ》に相応《さうおう》する至聖所《しせいしよ》であつて、大神《おほかみ》の御神格《ごしんかく》の直接内流《ちよくせつないりう》は、必《かなら》ず前額《ぜんがく》より始《はじ》まり、遂《つひ》に顔面全部《がんめんぜんぶ》に及《およ》ぶものである。しかして人《ひと》の前額《ぜんがく》は、愛善《あいぜん》に相応《さうおう》し、額面《がくめん》は、神格《しんかく》の内部《ないぶ》一切《いつさい》に相応《さうおう》するものである。畏《おそ》れ多《おほ》くも口述者《こうじゆつしや》が開祖《かいそ》を、審神者《さには》として永年間《ながねんかん》、ここに注目《ちうもく》し、遂《つひ》に大神《おほかみ》の聖霊《せいれい》に充《み》たされたまふ地上唯一《ちじやうゆいいつ》の大予言者《だいよげんしや》なることを覚《さと》り得《え》たのである。

○

それからまた高天原《たかあまはら》には霊国《れいごく》、天国《てんごく》の二大区別《にだいくべつ》があつて、霊国《れいごく》に住《す》める天人《てんにん》は、これを説明《せつめい》の便宜上《べんぎじやう》、霊的天人《れいてきてんにん》といひ、天国《てんごく》に住《す》める天人《てんにん》を、天的天人《てんてきてんにん》といふことにして説明《せつめい》を加《くは》へようと思《おも》ふ。即《すなは》ち霊的天人《れいてきてんにん》より来《き》たる内流《ないりう》（間接内流《かんせつないりう》）は、人間肉体《にんげんにくたい》の各方面《かくはうめん》より感《かん》じ来《き》たり、遂《つひ》にその頭脳《づなう》の中《うち》に流入《りうにふ》するものである。即《すなは》ち前額《ぜんがく》および顳顬《こめかみ》より、大脳《だいなう》の所在全部《しよざいぜんぶ》に至《いた》るまでを集合《しふがふ》点《てん》とする。この局部《きよくぶ》は、霊国《れいごく》の智慧《ちゑ》に相応《さうおう》するがゆゑである。また天的天人《てんてきてんにん》よりの内流《ないりう》（間接内《かんせつない》流《りう》）は、頭中小脳《づちうせうなう》の所在《しよざい》なる後脳《こうなう》といふ局部《きよくぶ》、即《すなは》ち耳《みみ》より始《はじ》まつて、頸部全体《けいぶぜんたい》にまで至《いた》るところより流入《りうにふ》するものである。即《すなは》ちこの局部《きよくぶ》は証覚《しようかく》に相応《さうおう》するがゆゑである。

○

以上《いじやう》の天人《てんにん》が、人間《にんげん》と言葉《ことば》を交《まじ》へる時《とき》にあたり、その言《い》ふところはかくのごとくにして、人間《にんげん》の想念中《さうねんちう》に入《い》り来《き》たるものである。すべて天人《てんにん》と語《かた》り合《あ》ふ者《もの》は、また高天原《たかあまはら》の光《ひかり》によつて、そこにある事物《じぶつ》を見《み》ることを得《う》るものである。そはその人《ひと》の内分《ないぶん》（霊覚《れいかく》）は、この光《ひかり》の中《なか》に包《つつ》まれてゐるからである。しかして天人《てんにん》は、この人《ひと》の内分《ないぶん》を通《つう》じて、また地上《ちじやう》の事物《じぶつ》を見《み》ることを得《う》るのである。即《すなは》ち天人《てんにん》は、人間《にんげん》の内分《ないぶん》によつて、現実界《げんじつかい》を見《み》、人間《にんげん》は天界《てんかい》の光《ひかり》に包《つつ》まれて、天《てん》界《かい》に在《あ》るすべての事物《じぶつ》を見《み》ることができる。天界《てんかい》の天人《てんにん》は、人間《にんげん》の内分《ないぶん》によつて世間《せけん》の事物《じぶつ》と和《わ》合《がふ》し、世間《せけん》はまた天界《てんかい》と和合《わがふ》するに至《いた》るものである。これを現幽一致《げんいういつち》、霊肉不二《れいにくふじ》、明暗一体《めいあんいったい》といふのである。

○

大神《おほかみ》が、予言者《よげんしゃ》と物語《ものがた》りたまふ時《とき》は、太古《たいこ》即《すなは》ち神代《かみよ》の人間《にんげん》におけるがごとく、その内分《ないぶん》に流入《りうにふ》して、これと語《かた》りたまふことはない。大神《おほかみ》は先《ま》づ、おのが化相《けさう》をもつて精霊《せいれい》を充《み》たし、この充《み》たされた精霊《せいれい》を予言者《よげんしゃ》の体《たい》に遣《つか》はしたまふのである。ゆゑにこの精霊《せいれい》は、大神《おほかみ》の霊徳《れいとく》に充《み》ちて、その言葉《ことば》を予言者《よげんしゃ》に伝《つた》ふるものである。かくのごとき場合《ばあひ》は、神格《しんかく》の流入《りうにふ》ではなくて伝達《でんたつ》といふべきものである。伝達《でんたつ》とは、霊界《れいかい》の消息《せうそく》や大神《おほかみ》の意思《いし》を、現界人《げんかいじん》に対《たい》して告示《こくじ》する所為《しょゐ》をいふのである。

○

しかして、これらの言葉《ことば》は、大神《おほかみ》より直接《ちよくせつ》に出《い》で来《き》たれる聖言《せいげん》なるをもつて、一々万々確乎《いちいちばんばんかくこ》不易《ふえき》にして、神格《しんかく》にて充《み》たされてゐるものである。しかして、その聖言《せいげん》の裡《うち》には、いづれもみな内義《ないぎ》なるものを含《ふく》んでゐる。しかして天界《てんかい》にある天人《てんにん》は、この内義《ないぎ》を知悉《ちしつ》するには、霊的《れいてき》および天的意義《てんてきいぎ》をもつてするがゆゑに、ただちにその神意《しんい》を了解《れうかい》し得《う》れども、人間《にんげん》は何事《なにごと》も自然的《しぜんてき》、科《くわ》学的意義《がくてきいぎ》に従《したが》つてその聖言《せいげん》を解釈《かいしやく》せむとするがゆゑに、懐疑心《くわいぎしん》を増《ま》すばかりで、到底満足《たうていまんぞく》な解《かい》決《けつ》はつけ得《え》ないのである。ここにおいてか大神《おほかみ》は、天界《てんかい》と世界《せかい》即《すなは》ち現幽一致《けんいういつち》の目的《もくてき》を達成《たつせい》し、神《しん》人和合《じんわがふ》の境《きやう》に立《た》ち到《いた》らしめむとして、瑞霊《ずいれい》を世《よ》に降《くだ》し、直接《ちよくせつ》の予言者《よげんしや》が伝達《でんたつ》したる聖言《せいげん》を、詳《しやう》細《さい》に解説《かいせつ》せしめ、現界人《げんかいじん》を教《をし》へ導《みちび》かむとなしたまうたのである。

○

精霊《せいれい》はいかにして、化相《けさう》によつて大神《おほかみ》より来《き》たる神格《しんかく》の充《み》たすところとなるかは、今述《いまの》べたところを見《み》て明《あき》らかに知《し》らるるであらう。大神《おほかみ》の御神格《ごしんかく》に充《み》たされたる精霊《せいれい》は、自分《じぶん》が大神《おほかみ》なることを信《しん》じ、またその所言《しよげん》の神格《しんかく》より出《い》づることを知《し》るのみにして、その他《た》は一切《いつさい》知《し》らない。しかしてその精霊《せいれい》は、言《い》ふべきところを言《い》ひつくすまでは、自分《じぶん》は大神《おほかみ》であり、自分《じぶん》の言《い》ふことは大《おほ》神《かみ》の言《げん》である、と固《かた》く信《しん》じ切《き》つてゐるけれども、いつたんその使命《しめい》を果《は》たすに至《いた》れば、大神《おほかみ》は天《てん》に復《かへ》りたまふがゆゑに、にはかにその神格《しんかく》は劣《おと》り、その所言《しよげん》はよほど明晰《めいせき》を欠《か》くがゆゑに、そこに至《いた》つて、自分《じぶん》はヤツパリ精霊《せいれい》であつたこと、また自分《じぶん》の所言《しよげん》は、大神《おほかみ》より言《い》はしめたまうたことを知覚《ちかく》し、承認《しようにん》するにいたるものである。大本開祖《おほもとかいそ》のごときは、始《はじ》めより大神《おほかみ》の直接内流《ちよくせつないりう》によつて、神《かみ》の意思《いし》を伝《つた》へをること、および自分《じぶん》の精霊《せいれい》が神格《しんかく》に充《み》たされて、万民《ばんみん》のために伝達《でんたつ》の役《やく》を勤《つと》めてゐたことをよく承認《しようにん》してゐられたのである。その証拠《しようこ》は『大本神諭《おほもとしんゆ》』の各所《かくしよ》に明確《めいかく》に記《しる》されてある。今更《いまさら》ここに引用《いんよう》するの煩《はん》を省《はぶ》いておくから、開祖《かいそ》の『神諭《しんゆ》』について研究《けんきう》さるれば、この間《かん》の消息《せうそく》は明《あき》らかになることと信《しん》ずる。

○

開祖《かいそ》に直接帰神《ちよくせつかむがかり》したまうたのは、大元神《だいげんしん》大国治立尊《おほくにはるたちのみこと》様《さま》で、その精霊《せいれい》は、稚姫君命《わかひめぎみのみこと》と国《くに》武彦命《たけひこのみこと》であつた。ゆゑに『神諭《しんゆ》』の各所《かくしよ》に……此世《このよ》の先祖《せんぞ》の大神《おほかみ》が国武彦命《くにたけひこのみこと》と現《あら》はれて……とかまたは……稚姫君《わかひめぎみ》の身魂《みたま》と一《ひと》つになりて、三千世界《さんぜんせかい》（現《げん》幽《いう》神三界《しんさんかい》）の一切《いつさい》の事《こと》を、世界《せかい》の人民《じんみん》に知《し》らすぞよ……と現《あら》はれてゐるのは、いはゆる精霊界《せいれいかい》なる国武彦命《くにたけひこのみこと》、稚姫君命《わかひめぎみのみこと》の精霊《せいれい》を充《み》たして、予言者《よげんしや》の身魂《みたま》即《すなは》ち天界《てんかい》に籍《せき》をおかせられた、地上《ちじやう》の天人《てんにん》なる開祖《かいそ》に来《き》たつて、聖言《せいげん》を垂《た》れさせたまうたことを覚《さと》り得《う》るのである。

○

天人《てんにん》は、現界人《げんかいじん》の数百言《すうひやくげん》を費《つひ》やさねばその意味《いみ》を通《つう》ずることのできない言葉《ことば》をも、わづかに一《いち》、二《に》言《げん》にて、その意味《いみ》を通達《つうたつ》し得《う》るものである。ゆゑに開祖《かいそ》即《すなは》ち予言者《よげんしや》によつて示《しめ》されたる聖《せい》言《げん》は、天人《てんにん》には直《ただ》ちにその意味《いみ》が通《つう》ずるものなれども、中有《ちうう》に迷《まよ》へる現界人《げんかいじん》の暗《くら》き知《ち》識《しき》や、うとき眼《まなこ》や、半《なか》ば塞《ふさ》がれる耳《みみ》には容易《ようい》に通《つう》じ得《え》ない。それゆゑに、その聖言《せいげん》を細《こま》かく説《と》いて、世人《せじん》に諭《さと》す伝達者《でんたつしや》として、瑞《みづ》の御霊《みたま》の大神《おほかみ》の神格《しんかく》に充《み》たされたる精霊《せいれい》が、相応《さうおう》の理《り》によつて変性女《へんじやうによ》子《し》の肉体《にくたい》に来《き》たり、その手《て》を通《つう》じ、その口《くち》を通《つう》じて、一《いち》、二《に》言《げん》の言葉《ことば》を数千言《すうせんげん》に砕《くだ》き、一頁《いつページ》の文章《ぶんしやう》を数百頁《すうひやくページ》に微細《びさい》に分割《ぶんかつ》して、世人《せじん》の耳目《じもく》を通《つう》じて、その内分《ないぶん》に流入《りうにふ》せしめむために、地《ち》上《じやう》の天人《てんにん》として、神業《しんげふ》に参加《さんか》せしめられたのである。ゆゑに開祖《かいそ》の『神諭《しんゆ》』を、そのまま真解《しんかい》し得《え》らるる者《もの》は、すでに天人《てんにん》の団体《だんたい》に籍《せき》をおける精霊《せいれい》であり、また中有界《ちううかい》に迷《まよ》へる精霊《せいれい》は、瑞《みづ》の御霊《みたま》の詳細《しやうさい》なる説明《せつめい》によつて、間接諒解《かんせつりやうかい》を得《え》なくてはならぬのである。しかして、この詳細《しやうさい》なる説明《せつめい》さへも首肯《しゆこう》し得《え》ず、疑念《ぎねん》を差《さ》しはさみ、研究的態度《けんきうてきたいど》に出《い》でむとする者《もの》は、いはゆる暗愚《あんぐ》無智《むち》の徒《と》にして、学《がく》で智慧《ちゑ》のできた途中《とちう》の鼻高《はなだか》、似而非学者《えせがくしや》の徒《と》である。かくのごとき人間《にんげん》は、已《すで》にすでに地獄界《ぢごくかい》に籍《せき》をおいてゐる者《もの》なることは、相応《さうおう》の理《り》によつて明《あき》らかである。かくのごとき人《ひと》は、容易《ようい》に済度《さいど》し難《がた》きものである。なぜならば、その人間《にんげん》の内分《ないぶん》は全《まつた》く閉塞《へいそく》して、上方《じやうはう》に向《む》かつて閉《と》ぢ、外分《ぐわいぶん》のみ開《ひら》け、その想念《さうねん》は神《かみ》を背《せ》にし、脚底《きやくてい》の地獄《ぢごく》にのみ向《む》かつてゐるからである。しかしてその知識《ちしき》はくらみ、霊的聴覚《れいてきちやうかく》は鈍《にぶ》り、霊的視覚《れいてきしかく》は眩《くら》み、いかなる光明《くわうみやう》も、いかなる音響《おんきやう》も、容易《ようい》にその内分《ないぶん》に到達《たうたつ》せないからである。されど、神《かみ》は至仁至愛《しじんしあい》にましませば、かくのごとき難物《なんぶつ》をも、いろいろに身《み》を変《へん》じたまひて、その地獄的精霊《ぢごくてきせいれい》を救《すく》はむと、昼夜御心《ちうやみこころ》を悩《なや》ませたまひつつあるのである。あゝ惟神《かむながら》霊幸倍坐世《たまちはへませ》。

（霊界物語　第四八巻　第一章）

言《げん》華《くわ》

人生《じんせい》における一大問題《いちだいもんだい》は死後《しご》の世界《せかい》の有無《うむ》に関《かか》はる

精霊《せいれい》は人《ひと》の本体肉体《ほんたいにくたい》は人《ひと》のしばしの仮《かり》の宮《みや》なる

精霊《せいれい》は不老不死《ふらうふし》なり肉体《にくたい》は栄枯盛衰《えいこせいすい》ある世《よ》なりけり

永遠《えいゑん》に不老不死《ふらうふし》なる生命《せいめい》をさとりし人《ひと》は天国《てんごく》の民《たみ》

生前《せいぜん》に神《かみ》を信《しん》ぜず科学《くわがく》のみ主《しゅ》とせし人《ひと》は根《ね》の国《くに》にゆく

八衢《やちまた》に迷《まよ》ふみたまは現世《うつしよ》に罪《つみ》はなけれど神知《かみし》らぬ人《ひと》

世《よ》の中《なか》の物知《ものし》り人《びと》も霊国《れいごく》に到《いた》ればはかなき姿《すがた》とぞなる

一文字《ひともじ》も知《し》らぬ霊《みたま》の天国《てんごく》に遊《あそ》ぶは愛《あい》の力《ちから》なりけり

愛善《あいぜん》の道《みち》に進《すす》めば天国《てんごく》に真信《しんしん》さとれば霊国《れいごく》にゆく

天国《てんごく》や霊国《れいごく》ともに地《ち》の上《うへ》に開《ひら》き給《たま》ひぬ伊都能売《いづのめ》の神《かみ》は

生《うま》れ子《ご》の心《こころ》になりて皇神《すめかみ》に仕《つか》ふる人《ひと》は天国《てんごく》のたみ

天国《てんごく》に昇《のぼ》るは易《やす》し根《ね》の国《くに》に落《お》つるは難《かた》し神《かみ》にある身《み》は

（霊界物語　第十五巻）

天《あめ》の下神人愛《したしんじんあい》の為《ため》ならばたとへ死《し》するも厭《いと》はざるべし

（霊界物語　第五二巻　第八章）

主《す》の神《かみ》の永遠《とは》にましますす神国《かみくに》は常世《とこよ》の春《はる》の花咲《はなさ》き匂《にほ》ふ

人《ひと》の身《み》は天《あま》つ御空《みそら》の神国《かみくに》の真人《まびと》とならむ苗代《なはしろ》にこそ

地《ち》の上《うへ》は汚《けが》れ果《は》てたるものなりと思《おも》ふは心《こころ》の迷《まよ》ひなりけり

村肝《むらきも》の心《こころ》に神《かみ》の国《くに》あらばこの地《ち》の上《うへ》も神国《かみくに》となる

地《ち》の上《うへ》に神《かみ》の御国《みくに》を立《た》ておほせおかねば死《し》して神国《かみくに》はなし

地《ち》の上《うへ》に住《す》みて地獄《ぢごく》に身《み》をおかばまかれる後《のち》は鬼《おに》となるらむ

鬼大蛇《おにをろち》　醜《しこ》の曲霊《まがひ》のたけぶ世《よ》も心清《こころきよ》くば神《かみ》の花園《はなぞの》

うつし世《よ》を地獄《ぢごく》や修羅《しゆら》と称《とな》へつつさげしみ暮《くら》す人《ひと》ぞゆゆしき

人《ひと》は皆天津《みなあまつ》御国《みくに》に昇《のぼ》るべく生《う》みなされたる神《かみ》の御子《みこ》ぞや

主《す》の神《かみ》は青人草《あをひとぐさ》の霊体《れいたい》をもらさず落《お》とさず天国《てんごく》へ救《すく》ふ

救《すく》はむと御心《みこころ》いらち玉《たま》へども人《ひと》は自《みづか》ら暗《やみ》におちゆく

根《ね》の国《くに》や底《そこ》の国《くに》なる暗《やみ》の世《よ》へおちゆく魂《たま》を救《すく》ふ大神《おほかみ》

この神《かみ》は瑞《みづ》の御霊《みたま》とあれまして三五《あななひ》の道開《みちひら》き玉《たま》へり

三五《あななひ》の道《みち》の誠《まこと》を守《まも》る身《み》はいかでおとさむ根底《ねそこ》の国《くに》へ

神《かみ》の愛神《あいかみ》の智慧《ちゑ》をば理解《りかい》して住《す》めば地上《ちじやう》も天国《てんごく》の春《はる》

秋冬《あきふゆ》も夜《よる》をも知《し》らぬ天国《てんごく》は人《ひと》の住《す》むべきパラダイスなり

永久《とこしへ》の花咲《はなさ》き匂《にほ》ひ木《こ》の実《み》まで豊《ゆた》かな神《かみ》の国《くに》ぞ楽《たの》しき

主《す》の神《かみ》はあまたのエンゼル地《ち》に下《くだ》し世《よ》を救《すく》ふべく守《まも》らせ玉《たま》ふ

（霊界物語　第四六巻　第一八章）

現界《げんかい》に勝《まさ》りて意志《いし》と想念《さうねん》の明瞭《めいれう》なるに驚《おどろ》く精霊《せいれい》

山川《やまかは》の清《きよ》きさやけさ天国《てんごく》に入《い》りて驚《おどろ》く精霊《せいれい》の心《こころ》

霊《れい》と肉《にく》の脱離《だつり》なしたるたまゆらを現界《げんかい》にありと思《おも》ひをるなり

天国《てんごく》にゆく精霊《せいれい》はおしなべて肉《にく》の命《いのち》の最後《さいご》を知《し》らず

人間《にんげん》はこの世《よ》を去《さ》ればそれぎりと思《おも》へる人《ひと》の驚《おどろ》く霊界《れいかい》

何故《なにゆゑ》に善徳《ぜんとく》積《つ》みておかざりしかと歯《は》ぎしりなさむ八衢《やちまた》の辻《つじ》

霊界《れいかい》は意志《いし》想念《さうねん》の世界《せかい》なりわれの開《ひら》きし天国《てんごく》地獄《ぢごく》

全徳《ぜんとく》は最奥天国《さいあうてんごく》の神《かみ》となり三徳《さんとく》は第一天国《だいいちてんごく》に住《す》む

二《に》徳《とく》あれば第二《だいに》天国一徳《てんごくいっとく》は第三天国《だいさんてんごく》の住民《ぢうみん》となる

一善《いちぜん》の記《き》すべきなきもの霊界《れいかい》の八衢《やちまた》の辻《つじ》に迷《まよ》ひをるなり

愛智《あいち》勇親備《ゆうしんそな》はるものは全徳《ぜんとく》ぞその一欠《いっか》くるを三徳《さんとく》といふ

極善《ごくぜん》の霊《れい》はたちまち最奥《さいあう》の天国《てんごく》さして昇《のぼ》り住《す》むなり

極悪《ごくあく》の 霊《みたま》 は霊界八衢《れいかいやちまた》も経《へ》ずたちまちに地獄《ぢごく》に陥《おち》る

相応《さうおう》の理《り》に造《つく》られし世《よ》の中《なか》は現界霊界同一《げんかいれいかいどういつ》なりけり

肉体《にくたい》は盛衰《せいすい》あれど精霊《せいれい》の命《いのち》は永遠《とは》に不老不死《ふらうふし》なり

人間《にんげん》の命《いのち》の不老不死《ふらうふし》なるを悟《さと》ればこの世《よ》におそるるものなし

現界《げんかい》の短《みじか》き命《いのち》を徒《いたづ》らに慾《よく》に曇《くも》らすは大損《おほぞん》なりけり

現界《げんかい》にありしことごと霊界《れいかい》に相応《さうおう》すると思《おも》へば恐《おそ》ろし

天国《てんごく》は愛《あい》と善《ぜん》との世界《せかい》なり地上《ちじやう》の善事《ぜんじ》は愛善《あいぜん》の徳《とく》

霊界《れいかい》に到《いた》りて人《ひと》は驚《おどろ》かむ依然《いぜん》と命《いのち》の続《つづ》けるを見《み》て

愛善《あいぜん》の誠《まこと》尽《つ》くせば人間《にんげん》の命《いのち》はすべて不老不死《ふらうふし》なり

愛善《あいぜん》は神《かみ》の御心《みこころ》現人《げんじん》も愛善《あいぜん》あれば滅《ほろ》ぶことなし

一心《いつしん》に神《かみ》に祈《いの》るも愛善《あいぜん》の徳《とく》を積《つ》まずば空《むな》しかるべし

人間《にんげん》は現世《うつしよ》のみか霊界《れいかい》に入《い》りたる後《のち》も命《いのち》栄《さか》ゆる

肉体《にくたい》を脱離《だつり》なしたる精霊《せいれい》はその身《み》の軽《かる》きに驚《おどろ》くものなり

天国《てんごく》は春《はる》と夏《なつ》との景色《けしき》なり秋《あき》は八衢《やちまた》地獄《ぢごく》は冬《ふゆ》なり

三伏《さんぷく》の暑《あつ》さを恐《おそ》るる現人《げんじん》は天国《てんごく》の民《たみ》となることを得《え》じ

草《くさ》も木《き》もとはに栄《さか》ゆる天国《てんごく》は地上《ちじやう》における盛夏《まなつ》の如《ごと》し

（言華「神の国」昭和七年六月号）

文献索引

第四八巻　第一〇章　天国の富

㈣ 霊界の組織（神界　幽界　中有界）

霊界物語
　第一巻　第五章　霊界の修業
　第一九巻　第一六章　玉照彦
　第四二巻　総説に代へて
　第四四巻　第一四章　思ひ出の歌
　第四五巻　総説
　第四八巻　第一八章　冥歌
　第五六巻　巻頭「天界、地獄界の図」
　〃　第一章　神慮
　第六三巻　第四章　山上訓

水鏡
　霊界での話

玉鏡
　霊の姿

大本の道
　一二〜一五

道の栞
　第一巻　下

㈤ 人の霊魂（精霊　本守護神　正守護神　副守護神）

霊界物語
　第四七巻　第八章　中有
　〃　第九章　愛と信
　〃　第一一章　手苦駄女
　〃　第一二章　天界行
　第四八巻　第一章　聖言

第四八巻　第八章　亡者苦雑　　守護神
第四九巻　第九章　善幻美志　　魂は外へ出さねばならぬ
第五〇巻　第八章　常世闇　　身魂の三種
第四巻　第四八章　神示の宇宙　其三　　玉鏡
第一〇巻　第二九章　言霊解　　他神の守護
第一三巻　第二一章　本霊　　霊の姿
第二〇巻　第九章　童子教　　人魂
第二一巻　第九章　改悟の酬　　怒りと毒素
第五二巻　第一章　真と偽　　寝顔と性質
〃　第一七章　飴屋
第六三巻　第四章　山上訓　　㈥ **死（霊肉脱離）**
〃　第一〇章　鷺と鴉　　月鏡
〃　第一三章　蚊燻　　霊肉脱離
水鏡　　誕生の種々
人間の霊魂　　霊界物語

第一四巻　第一四章　一途川
第一五巻　第五章　五天狗（一途川）
第一七巻　第一一章　顕幽交通
第二二巻　第一〇章　清泉
〃　第一一章　美と醜
第三一巻　第二〇章　怪原野
〃　第二二章　脱皮婆
第四〇巻　第一一章　三の館
第四七巻　第七章　酔の八衢
〃　第八章　中有
〃　第一〇章　震士震商
〃　第一一章　手苦駄女
第四八巻　第七章　六道の辻
〃　第八章　亡者苦雑
〃　第一五章　金玉の辻

第五二巻　第九章　黄泉帰
〃　第一二章　盲目縞
〃　第一三章　黒長姫
〃　第一四章　天賊
〃　第一五章　千引岩
〃　第一六章　水車
〃　第一七章　飴屋
〃　第二三章　盲動
〃　第二四章　応対盗
〃　第二五章　恋愛観
〃　第二六章　姑根性
〃　第二七章　胎蔵
第五四巻　第一五章　愚恋
〃　第一六章　百円
〃　第一七章　火救団

第五六巻　第三章　仇花
〃　第四章　盗歌
〃　第五章　鷹魅
〃　第六章　高圧
〃　第七章　高鳴
〃　第八章　愛米
〃　第九章　我執
第五七巻　第九章　婆娑
〃　第一〇章　転香
〃　第一一章　鳥逃し
〃　第一二章　三狂
第六三巻　第一〇章　鷺と鴉
〃　第一一章　怪道
〃　第一二章　五託宣
〃　第一三章　蚊燻

第六三巻　第一四章　嬉し涙
第七〇巻　第六章　鬼遊婆
〃　第七章　妻生
第七一巻　第一四章　障路
〃　第一五章　紺霊

㈧ 肉体的精霊（兇党界）

月鏡
天狗

霊界物語
第四八巻　第一章　聖言
〃　第一四章　至愛
第五〇巻　第一章　至善至悪

水鏡
兇党界

墓場跡と飲食店

月　鏡

心霊現象と兇党界

玉　鏡

兇党界と人間

筑波山の悪霊

三りんぼう

ナヒモフ号の金塊

霊的小説

○邪気線

水　鏡

大江山と邪気線

霊界物語

第一六巻　第一八章　遷宅婆

第六三巻　第九章　超死線

㈨ 天界（神界）

霊界物語

第三二巻　第一三章　平等愛

第四七巻　第一二章　天界行

〃　第一三章　下層天国

〃　第一四章　天開の花

〃　第一五章　公義正道

〃　第一六章　霊丹

〃　第一七章　天人歓迎

〃　第一八章　一心同体

〃　第一九章　化相神

〃　第二〇章　間接内流

第四八巻　第九章　罪人橋

〃　第一〇章　天国の富

〃　第一一章　霊陽山

第四八巻　第一二章　西王母
〃　第一三章　月照山
〃　第一四章　至愛
第四九巻　第六章　梅の初花
第五〇巻　第二章　照魔燈
第五二巻　第一章　真と偽
〃　第二章　哀別の歌
〃　第一五章　千引岩
第五五巻　序文

天祥地瑞
子之巻　第七章　大祓

玉鏡
愛の分霊
霊界の親
霊界の宣伝使
宣伝使の階級
天人と恪気

水鏡
天人の五官
天と地

道の栞
第三巻　下

天祥地瑞
子之巻～申之巻

霊界物語
第一巻　第一三章　天使の来迎
〃　第一四章　神界旅行の一
〃　第一五章　〃　二
〃　第一六章　〃　三
〃　第一七章　〃　四

第一五巻　第一五章　山の神（地底の天国）
〃　第一九章　第一天国
〃　第二〇章　五十世紀
〃　第二二章　帰顕
第一七巻　第四章　羽化登仙
第三九巻　第七章　都率天
第四〇巻　第一二章　心の反映
〃　第一三章　試の果実
〃　第一四章　空川
第五二巻　第九章　黄泉帰
第七〇巻　第五章　花鳥山

㈩　地上天国

霊界物語
第四九巻　第一章　地上天国
第四九巻　第二章　大神人
第五二巻　第一章　真と偽

水鏡
天国と霊国と花壇

㈪　地獄界（幽界）

霊界物語
第六巻　松葉の塵
第三九巻　第三九章　付録大祓祝詞解
第五五巻　第一二章　霊婚

水鏡
悪魔の世界

霊界物語
第一巻　第七章　幽庁の審判
〃　第八章　女神の出現

第一巻　第九章　雑草の原野
〃　第一〇章　二段目の水獄
〃　第一一章　大幣の霊験
第二三巻　第八章　鬼の解脱
〃　第一〇章　清泉
〃　第一一章　美と醜
第三一巻　第二〇章　脱皮婆
〃　第二一章　白毫の光
第四八巻　第九章　罪人橋
〃　第一七章　甦生
第七一巻　第七章　夢の道

(十一) 霊界の霊魂の現界人への影響

○ 天人と子孫

霊界物語

第四四巻　第一四章　思ひ出の歌
第五〇巻　第二四章　礼祭

玉鏡
大本人の守護

○ 悪霊と人

霊界物語
第三六巻　第二二章　春の霊

玉鏡
憑依霊と聖地

水鏡
霊と記念物
霊と食物
悪魔の神業妨害
山上の家

月鏡

人に化けた狸

○ 霊と病気

玉　鏡

流行性感冒

月　鏡

肺病に就て

十和田湖の神秘

霊界物語

第一巻　第一五章　神界旅行の二

〃　第一六章　〃　三

〃　第一七章　〃　四

〃　第五〇章　死海の出現

第二巻　第五章　黒死病の由来

第三巻　第三二章　破軍の剣

第七巻　第二〇章　副守飛出

第二〇巻　第八章　心の鬼

第三七巻　第二四章　神助

第三八巻　第二三章　狐狸々々

〃　第二四章　呪の釘

第四〇巻　第一五章　氷嚢

第四三巻　第一八章　石室

第五五巻　第二〇章　万面

〃　第二一章　嬉涙

（十三） 神霊世界との交通の方法（鎮魂帰神と霊媒）

霊界物語

第一五巻　跋文

第四八巻　第一章　聖言

第五〇巻　第八章　常世闇

月　鏡

霊　媒

玉　鏡

神がかり

憑依霊と聖地

霊媒は短命

肉食の害

○ 鎮魂帰神

霊界物語

第三巻 第四章 鶴の首

〃 第一三章 嫉妬の報

〃 第一七章 岩窟の修行

〃 第二二章 神前の審判

〃 第二四章 蛸間山の黒雲

〃 第二五章 邪神の滅亡

〃 第二六章 大蛇の長橋

第三巻 第四〇章 国の広宮

〃 第四六章 探湯の神事

第四巻 第四〇章 照魔鏡

第五巻 第一二章 不食不飲

〃 第一三章 神憑の段

〃 第一四章 審神者

第八巻 第一六章 霊縛

〃 第一九章 刹那心

〃 第二四章 盲目審判

第一三巻 第二一章 本霊

第一四巻 第一三章 山上幽斎

〃 第一五章 丸木橋

第一六巻 第一六章 神定の地

〃 第一八章 遷宅婆

〃 第一九章 文殊如来

第一六巻　第二〇章　思はぬ歌
第一七巻　第六章　瑞の宝座
第一九巻　第一章　高熊山
〃　第九章　身魂の浄化
〃　第一二章　言照姫
〃　第一六章　玉照彦
第二〇巻　第八章　心の鬼
〃　第九章　童子教
第二二巻　第九章　改悟の酬
第二三巻　第一章　玉の露
〃　第二章　副守囁
〃　第三章　松上の苦悶
第二九巻　第一一章　悔悟の幕
〃　第一二章　日出姫
〃　第一九章　生霊の頼

第三六巻　第二二章　春の雪
第三七巻　第七章　五万円
〃　第八章　ふくろの宵企
〃　第九章　牛糞
〃　第一〇章　矢田の滝
〃　第一一章　松の嵐
〃　第一二章　邪神憑
〃　第一三章　煙の都
〃　第一五章　盲目鳥
〃　第一六章　四郎狸
〃　第一七章　狐の尾
〃　第一八章　奥野操
〃　第一九章　逆襲
〃　第二〇章　仁志束
〃　第二一章　参綾

第五八巻　第二三章　昼餐
第五九巻　第一九章　猩々舟
第六〇巻　第七章　方便
〃　第一章　清浄車
第六三巻　第三章　伊猛彦
〃　第四章　山上訓
〃　第五章　宿縁
第六四巻　第一章　橄欖山
第七〇巻　第一五章　地位転変
〃　第二二章　優秀美

月鏡
十和田湖の神秘

㈩ 現界の生活と死後の霊界の住所

霊界物語
第五〇巻　第一章　至善至悪
〃　第二章　照魔燈
第五二巻　第一〇章　霊界土産
〃　第一七章　飴屋

玉鏡
個性
吾子の死
一日の修行
棺も旛も

月鏡
有難き現界
性慾の問題

㈭ 霊魂救済の道（現界人の霊界への影響）

○祖霊の復祭と霊祭（追善供養）の意義

霊界物語
第一巻　第一四章　神界旅行の一
〃　第一八章　霊界の情勢
第四六巻　第一八章　エンゼル
第五二巻　第九章　黄泉帰
〃　第一四章　天賊
〃　第一六章　水車
第五八巻　第二四章　礼祭
天祥地瑞
寅の巻　第一章　禊の神事
水鏡
追善供養
皇霊祭と祖霊大祭
御神霊を鎮める時
玉鏡

玉串
流行性感冒
大本の道
三〇　産土神と祖霊
道の栞
第一巻　下
第二巻　下
〃　御霊のことわけ
第四巻　完
月鏡
輪廻転生
大本讃美歌　第六章　一五七～一六九
(六) 夢と霊眼
水鏡

正夢と霊夢霊眼

玉　鏡

霊　眼

霊の姿

雑念の盛なる人

柿の夢

あとがき

本書「霊の礎」は、出口聖師が「霊界物語」御口述の余暇に執筆せられて、「神の国」誌上（大正11年11月25日号～大正12年4月25日号）に発表されてきたもので、当時の心霊問題研究の勃興期に際して、霊界の実在と死後の生活について明確に説示せられている極めて重要な文献である。後に「霊界物語」第一六巻から第二十四巻までの巻末に転載され、さらに単行本として発行された。大本が新発足後、昭和二十七年にこれを復刊したが、その後絶版のままであった。今度あらためて「霊界物語」校定本にもとづいて本書を刊行することとなったが、霊界の消息の大要を知る手引書としてまことに好適の書である。

なお巻末には「霊界物語」中の〝神慮〟（第五六巻第一章）・〝神霊界の状態〟（第一五巻跋文）・〝霊主体従の世界〟（第二一巻総説）〝聖言〟（第四八巻第一章）および〝言華〟を補充するとともに、霊界に関する文献索引と図表（〝神慮〟の説明歌参照）を付し研鑽の用とした。

読者は本書によって神霊（心霊）世界の大要をさとり、すすんで「霊界物語」全巻を拝読されるよう希望するものである。

昭和四十五年四月七日

編者

霊の礎

大正一三年七月二五日 初版発行
昭和四五年四月七日 校定増補版発行
平成二九年五月五日 第十三刷発行

編集 大本教学研鑽所
発行者 村上治道
発行所 株式会社 天声社
〒六二一—〇八一五
京都府亀岡市古世町北古世八二—三
振替〇一〇一〇—九—二五七五七

ISBN 978-4-88756-013-3
価格は表紙に提示してあります